chêne

Textes Philippe Trétiack

PARIS
VU DU CIEL

YANN ARTHUS-BERTRAND

L'exaltation panoramique

Des siècles durant, les Parisiens n'ont eu de leur ville que des visions de labyrinthe. Dans le dédale des ruelles médiévales, au fil de la Seine et sur les ponts, ils pratiquaient une cité grouillante et pestilentielle. En 1610, à la mort d'Henri IV, seul celui qui se hissait à hauteur des gargouilles de Notre-Dame pouvait échapper au cloaque commun. Il découvrait alors un paysage de flèches dressées vers le ciel. Le gothique régnait et Paris ne connaissait d'élévation que celle de ses clochers hachurant le ciel.

D'Italie vint la Contre-Réforme, et nos monarques s'enthousiasmèrent pour les coupoles et les dômes. Si la flèche gothique désigne le ciel, la coupole le représente en majesté. En moins d'un siècle, Paris accueillit une dizaine de ces architectures à rotondes et, à la fin du règne de Louis XIV en 1706, une floraison ovoïde avait éclos dans le ciel de la capitale. La sous-face de ces volumes convexes offrait un ciel tendu à tous les regards et il fallait lever la tête pour s'y plonger. C'était là tout un symbole car le ciel demeurait une idée, un territoire aussi lointain que l'Empyrée, domaine des dieux, l'était au Moyen Âge. L'homme de Paris restait l'homme de la rue. Il battait le pavé, crottait ses chausses tandis qu'il sinuait, se perdait de détour en détour. Pour échapper à la foule et à défaut d'ascension de la colline de Montmartre sise hors les murs, il pouvait toujours observer un semblant d'horizon depuis le dernier étage d'une maison de guingois, au pire un vis-à-vis de grisaille et d'ordures, au mieux le fronton d'un hôtel particulier.

Au demeurant, le Parisien négligeait d'ordinaire les caprices de la météo car il craignait moins les foudres du ciel que les feux domestiques. L'incendie de Londres (en 1666) avait traumatisé les esprits et comme, de temps à autre, un pâté de masures s'embrasait, la terreur des bûchers taraudait l'homme des dédales urbains. Sans le savoir, ceux qui imposèrent alors aux Parisiens de badigeonner de plâtre les façades de leurs maisons pour en protéger du feu les parties boisées franchirent un pas important en direction des hauteurs. Car non seulement ils sauvèrent ainsi une bonne partie de la capitale (tout le faubourg Saint-Antoine par exemple), mais ils firent entrer dans la conscience collective la sacro-sainte omniprésence des pompiers. De règlement en règlement, on exigea ensuite d'aménager un accès aux toitures afin que, hissé sur les hauteurs, on puisse arroser toute baraque en flammes.

Peu à peu, Paris s'est ainsi initié aux plaisirs de l'ascension. Le peintre écossais Robert Barker avait ouvert, en 1787 à Londres, une curiosité : la première salle de panorama. En juin 1800, James Thayer en fit de même et inaugura, boulevard Montmartre, deux panoramas à l'entrée d'un passage qui en porte encore le nom. Chaque rotonde d'un diamètre de 14 mètres présentait une fresque circulaire que le spectateur pouvait contempler à loisir depuis un plateau central surélevé.

En 1828, une ordonnance de police autorisa la mise en service de cent voitures omnibus sur dix-huit itinéraires parisiens. La première relia la Madeleine à la Bastille le 11 avril et ce fut là, pour ses passagers privilégiés, l'occasion d'une nouvelle prise de hauteur. Découvrir sa ville assis sur la banquette d'un autobus à impériale, voilà qui faisait de vous un nanti ! D'autant qu'au panoramique s'ajoutait à présent ce que les cinéastes appelleraient un jour le travelling. Haussmann y surajouta la perspective. En élargissant les rues, il offrait de l'espace. Dans le tohu-bohu des maçons limousins échevelés, « barbares » pour les uns, « pionniers » pour les autres, des boulevards s'ouvraient, des canyons cédaient devant des avenues, des entrelacs de ruelles devenaient places et carrefours. De ces points précis, la ville s'offrait bien mieux qu'hier. Et quelle ville ! Paris Ville Lumière ne tarderait pas à être qualifiée de « capitale du XIXᵉ siècle » par Walter Benjamin. En attendant, pour Victor Hugo, elle était la synthèse de « Jérusalem, Athènes et Rome ». Rien que cela ! Pour l'heure, elle regroupait surtout huit nouveaux arrondissements, les communes limitrophes que sur décision du préfet Haussmann on venait d'intégrer à la capitale. Cette enflure territoriale donna le tournis aux Parisiens. La ville leur semblait devenue tentaculaire. Nul ne pouvait en saisir l'étendue. On s'épuisait à la parcourir, on s'élançait dans des excursions vers la porte d'Italie, on poussait en famille jusqu'à Clichy ! Et pour en mesurer l'immensité nouvelle, on se hissait sur les toitures comme un marin grimpe au mât de misaine. De partout, on cherchait des points hauts comme on traque une oasis. Les collines de Chaillot, de Montmartre se muaient en phare d'où l'on tentait d'embrasser la vastitude de ce territoire exaltant. Plus la ville s'étalait, plus le citoyen voulait s'élever pour mieux la dominer.

Et soudain ce fut la guerre. Les Prussiens assiégeaient Paris, et le piéton, qui gardait le souvenir des cosaques campant au Champ-de-Mars en 1814, découvrit qu'on pouvait occuper une ville sans même y mettre les pieds. Il fit connaissance avec l'encerclement et les bombardements. Il apprit à déchiffrer l'énigme du sifflement des obus et l'effet de souffle consécutif à son explosion. Il devint expert en balistique. Ses nerfs en prirent un coup. En vérité, tout ce qui venait du ciel le plongeait encore dans la perplexité. Le sol collait aux pieds.

Certes, le photographe Nadar avait réussi une première ascension en ballon en 1858. De ces hauteurs célestes, il avait pris le premier cliché aérien de l'histoire : une vue de Petit-Bicêtre (l'actuel Petit-Clamart) au sud de Paris. Il réitéra ses exploits durant la guerre de 1870. Du haut de sa nacelle, l'œil rivé à ses lunettes et à ses télescopes, Nadar cherchait à repérer les positions ennemies. La photographie aérienne naquit ainsi des obligations militaires.

Une fois la paix retrouvée, les Parisiens, toujours arrimés à leur plancher des vaches, s'enthousiasmèrent pour cette ville qu'ils appréhendaient enfin dans sa totalité grâce à la photographie. À défaut de grimper dans une montgolfière, on grimpait des escaliers, on paradait sur le zinc et les tuiles. Par crainte des incendies déclenchés par les bombardements prussiens, un décret avait imposé à tous les propriétaires d'immeubles parisiens l'aménagement d'un accès aux toitures. Il importait de faciliter le travail des pompiers. La cause ignifuge devenait municipale. Par la magie d'une échelle et d'un vasistas, les Parisiens se mirent alors à regarder leur ville d'un peu plus haut. Gambadant, mais avec prudence, entre les cheminées, ils découvraient soudain des panoramas. Un arrêté du préfet de Paris édicté en novembre 1883 peaufina cette affaire en ordonnant l'installation sur les toitures d'un garde-corps fixe en fer, d'une hauteur de 80 centimètres, pour protéger les pompiers d'une chute fatale. Cette mesure rencontra plus de succès que le prototype de « parachute permanent » présenté par un certain Chabert, architecte, lors de l'Exposition universelle de 1878.

Ce que l'art pictural avait qualifié de vol d'oiseau et mieux encore de « perspective vicieuse » s'offrait donc à présent aux Parisiens. La vision panoramique se substituait à celle empruntée aux venelles et aux coupe-gorge. L'aérien prenait forme et le spectateur, fouetté par un vent porteur des innombrables cris de la ville, était soudain saisi du ravissement panoramique. L'homme de la rue devenait homme de l'air. Sa passion confinait au vertige.

En 1867, dans le cadre de l'Exposition universelle de Paris, le sieur Léon Edoux avait exposé son premier ascenseur, comme il le baptisa lui-même. Sur 20 mètres, six étages tout de même, sa cabine pouvait tracter dix personnes. En 1869, les magasins « À la ville de Saint-Denis » dans le faubourg du même nom en installèrent un prototype hydraulique. En 1896, l'architecte Charles Girault implanta, lui, un ascenseur au centre de la cage d'escalier de l'immeuble qu'il bâtissait. Cette petite innovation fut en réalité une révolution. Le monde des villes allait en être bouleversé et Paris qui avait toujours stocké ses pauvres dans les hauteurs sous les combles allait désormais les en chasser. Aux riches la vue, le soleil, le confort à portée d'ascenseur, aux misérables les rez-de-chaussée et les sous-sols. Certes, Louis XIV avait fait installer, déjà en 1743 à Versailles, de pseudo-ascenseurs, mais il ne s'agissait alors que de « chaises volantes » mues à la force du bras par des valets costauds !

D'un coup, chacun voulut aller voir plus haut. La tour Eiffel vint donner forme à ce désir d'élévation. Elle fut le clou de l'Exposition universelle de 1889. Onze années plus tard, les foules se pressèrent pour grimper

dans la grande roue, pièce maîtresse de l'Exposition de 1900. À l'époque, avec ses 100 mètres de diamètre, elle était la plus haute du monde. Par comparaison, celle du millénaire, installée en 2000 place de la Concorde, ne culmina qu'à 60 mètres.

En 1889, pour cause d'Exposition universelle encore, les militaires avaient dû quitter leur champ de manœuvre habituel, le Champ-de-Mars. Ils s'établirent à Issy-les-Moulineaux où ils créèrent le premier aérodrome du monde. Homologué le 31 juillet 1890, il fut acquis par la ville de Paris trois ans plus tard. En septembre 1914, une escadrille s'installa au Bourget et, le 8 février 1919, des liaisons pour passagers furent inaugurées vers Londres, Lille et Bruxelles. L'ère de l'aviation civile s'ouvrait, bientôt on regarderait les toitures, plates-formes d'observation mirifiques autrefois, comme de vulgaires promontoires. En mars 1957, l'aérodrome d'Issy-les-Moulineaux devint l'héliport international. C'est de là que décollent maintenant les hélicoptères identiques à celui emprunté par Yann Arthus-Bertrand pour photographier Paris, ses clochers, sa tour Eiffel, ses toitures et son périphérique.

Yann Arthus-Bertrand partage avec Nadar le fait d'avoir découvert la terre depuis une montgolfière, celle qu'il utilisait au Kenya pour traquer les lions et les girafes, et ce, pour le plus grand plaisir des touristes qu'il laissait grimper dans sa nacelle. Il se pourrait qu'en secret ce chasseur d'images porte sur Paris le même regard qu'il portait hier sur les réserves animalières d'Afrique. Vu du ciel, Paris est un enclos, une île où les populations se débattent et jouissent d'une nature urbaine chaque jour plus échevelée.

Dans quelques années, Yann devra reprendre l'air, car le Grand Paris s'annonce à l'horizon. Un siècle et demi après l'agrégation des communes limitrophes des Batignolles ou de la Butte-aux-Cailles par le préfet Haussmann, les édiles de la région Île-de-France envisagent d'autres élargissements. Les communes qui apparaissent aujourd'hui comme irrémédiablement « banlieusardes » risquent demain de faire partie intégrante de la capitale. Malakoff par exemple, ville de la proche périphérie sud, doit son nom à une attraction à présent disparue. Alexandre Chauvelot, rôtisseur de son état et entrepreneur avisé, y avait construit au XIXe siècle, une réplique de la tour Malakoff, ouvrage militaire qui

défendait la ville de Sébastopol durant la guerre de Crimée. Parce que l'édifice servait de point de repère aux canonniers prussiens, il fut rasé en 1870. Étrange évolution des choses ; demain, Paris pourrait englober cette ville agréable et du même coup gagner de la surface en s'unissant à une cité qui fut hier le symbole du panorama en plein air.

C'est ainsi, chaque campagne photographique réalisée par Yann Arthus-Bertrand porte témoignage d'un instant particulier. Elle fixe un Paris qui déjà nous échappe. De nouveaux équipements architecturaux se profilent, comme la salle philharmonique de la Villette dont le chantier devrait démarrer bientôt. Il faudra survoler le parc attenant pour la capturer demain. Tout cliché est trahi par le temps. La quête photographique est un puits. L'appareil, comme des mains pétrissant du sable, saisit la ville pour la laisser s'échapper. C'est là peut-être toute sa noblesse. Déjà le son des voitures, des Klaxon, des foules et de la pluie battant les trottoirs s'amenuise et s'évanouit, noyé par le feulement mécanique des palmes de l'hélico. Il fut un « Paris vu du ciel » mais le ciel ne sait attendre, et Paris fouetté par les nuages, devant nous, change de visage et s'enfuit.

Page 1 / Sur le pont des Arts.
« Si par hasard sur l'pont des Arts », chantait Georges Brassens. Cette passerelle élancée face à la coupole de l'Institut qui permet de gagner la Cour Carrée du Louvre sur la rive droite est un haut lieu de la poésie parisienne. On vient y admirer la Seine enserrant en amont l'île de la Cité, jouir des couchers de soleil vers l'aval. Des groupes s'y donnent rendez-vous pour des pique-niques sauvages, des expositions d'art y sont organisées.

Page 3 / L'Arc de Triomphe, place de l'Étoile.
L'actuelle place Charles-de-Gaulle est encore souvent appelée place de l'Étoile. Elle en conserva le nom jusqu'en 1970. Douze avenues – dont la plus fameuse, les Champs-Élysées – disposées selon un schéma rayonnant aboutissent à l'Arc de Triomphe. Si les manifestations de gauche se déroulent en général dans les quartiers populaires (Nation, Bastille), celles du camp conservateur ont toujours chéri les Champs-Élysées. La montée à l'Arc de Triomphe en constitue le climax. Pourtant, c'est pour célébrer la victoire des « Bleus » en 1998, devenus champions du monde de football, que l'avenue a pulvérisé ses records d'affluence.

Page 5 / Quai Saint-Bernard.
Paris a su se réapproprier ses berges, lieu de promenade romantique adoré des photographes. Sur le quai Saint-Bernard, rive gauche, de mini espaces s'offrent aux baladins modernes, aux danseurs et aux artistes de rues. Chaque été, une grande partie de la voie sur berge, rive droite, est elle aussi transformée en site balnéaire par la magie de l'opération très médiatisée Paris-Plage. Si, comme le disait Jean Renoir, « le premier des films, c'est le fleuve », alors Paris offre à ses passagers la plus belle salle de spectacle du monde.

Page 6 / Fontaine, jardin du Trocadéro.
Au pied de l'esplanade, la course furieuse et conjointe d'un daim et d'un taureau d'or, œuvre de l'artiste animalier Paul Jouve. Proche du laqueur Jean Dunand, ce sculpteur fut estampillé « Art nouveau » puis « Art déco ». Il visa à introduire partout un peu de l'exotisme des temps antiques mâtiné d'un soupçon de japonisme.

6 / Fontaine, jardin du Trocadéro.

Page 7 / Parvis, palais de Chaillot.
Des travaux de réfection ont redonné au dallage du parvis
du palais de Chaillot toute sa magnificence. Achevés en 2004,
ils ont permis au public de redécouvrir la polychromie
minérale qui caractérise ce vaste espace ouvert sur le paysage
de la Seine et de la tour Eiffel. Une fois encore, le piéton,
incapable d'appréhender la structure générale du parvis,
ne peut en prendre conscience que par la grâce de la vision
aérienne. Un autre Paris se dessine alors en plans et l'on en
vient à s'imaginer que des signes cabalistiques dansent,
un peu partout, sous nos pieds.

Ci-contre / En amont du pont du Carrousel.
L'île de la Cité où se dresse la cathédrale Notre-Dame a bien
la forme d'un navire voguant sur la Seine. Paris a pris
comme devise *Fluctuat nec mergitur,* locution latine signifiant :
« Il flotte mais ne sombre pas ». Le blason de la ville est orné
d'un navire, symbole au Moyen Âge de la puissante
corporation des nautes, les marchands du fleuve. Depuis
des années, Paris s'inquiète de la prochaine grande crue.
Elle pourrait noyer une bonne partie de la capitale. L'angoisse
est grande pour les réserves des musées qui s'alignent au fil
du fleuve, le Louvre et Orsay entre autres.

Page 10 / L'île de la Cité.
La réunion de trois îlots à la fin du XVIᵉ siècle permit
la construction du plus ancien pont de Paris : le pont Neuf.
À l'occasion, on édifia la place Dauphine sur un plan clos
triangulaire. L'emploi de la brique et de la pierre blanche
en fait la sœur de la place des Vosges construite à la même
époque. Le couple d'acteurs mythiques, Simone Signoret et
Yves Montand, y avait élu domicile.

Page 11 / Le square du Vert-Galant.
Le square du Vert-Galant, surnom du roi Henri IV, a pris
la forme d'une proue de navire, bloqué en cale. Les péniches
y croisent sous le regard émerveillé des Parisiens venus quérir
sur la berge un peu de fraîcheur estivale. Des bateaux-
mouches en partent. Ils vont, viennent et permettent en
un temps bref de contempler la capitale depuis le fleuve,
dans l'entre-deux-rives en quelque sorte. Au long des quais,
des péniches sont amarrées, certaines à l'année. Habitat
plaisant quand le cours de la Seine est étal, la péniche devient
source de cauchemars quand le niveau monte et noie
les quais, engloutit le Vert-Galant. Il faut, pour rallier la rive,
une barque, pour peu qu'il y ait suffisamment de fond... Sinon,
la barque racle et il ne reste plus qu'à en descendre et mouiller
ses chaussures et son bas de pantalon. Sous ses dehors
paisibles de décor pour amoureux, la Seine est capricieuse.

Comment s'est fait Paris

L'histoire et la géographie ont eu l'intelligence espiègle de façonner la ville de Paris de telle sorte qu'au final elle prenne des allures de cerveau humain. Avec ses arrondissements se développant en escargot à partir du centre, tous contenus dans un cercle aplati sur les bords, c'est incontestable. De là à songer que la capitale se « la joue cérébrale », il n'y a qu'un pas que beaucoup d'amoureux de Paris ont franchi.

Que n'a-t-on encensé Sartre à Saint-Germain-des-Prés, Montparnasse et ses peintres... Pourtant, point n'est besoin de se creuser la tête pour saisir les phases de l'évolution d'une ville qui, comme toutes les autres, fut d'abord un ensemble de cahutes tassées au bord d'un fleuve. L'histoire de Paris s'articule autour de quelques données simples.

Un chapelet d'îles. Au commencement était un site idéal, quelques îlots sis dans un méandre de la Seine. Au loin, s'élevaient les collines de ce qui serait plus tard les quartiers des Buttes-Chaumont, de Belleville, Ménilmontant, Montmartre, Chaillot, Montparnasse, de la Butte-aux-Cailles. Les Parisii, un peuple gaulois, s'y étaient installés depuis le IIIe siècle avant Jésus-Christ.

Une invasion romaine. La ville prise par les légions romaines est rebaptisée Lutèce puis Civitas Parisiorum, ou ville des Parisii, d'où l'appellation actuelle de Paris. Rapidement, les forces d'occupation développent vers le sud, sur la rive gauche de la Seine, un quartier édifié selon un urbanisme de quadrillage. C'est à l'emplacement actuel du carrefour des rues Cujas et Saint-Jacques que les Romains tracèrent leur célèbre croisée, tirant d'est en ouest un axe transversal, le *documanus maximus*, et le *cardo* du nord au sud. Quelques belles ruines de thermes romains sont encore visibles aujourd'hui au proche carrefour des boulevards Saint-Germain et Saint-Michel (thermes de Cluny). Peu à peu, ces axes devinrent des routes privilégiées. La rue Saint-Jacques prolongée par la rue Saint-Martin conduisait ainsi d'Italie en Flandres. On trouve toujours au nord de Paris, la rue de Flandres et au sud, la porte d'Italie.

Des enceintes successives. Au fil des siècles, la ville s'est bâtie des fortifications. La présence de ces murailles est encore, ici ou là, perceptible. La plus ancienne, l'enceinte de Philippe Auguste, fut édifiée entre 1190 et 1275. Elle clôturait Paris sur ses deux rives. Des ponts de bateaux enchaînés assuraient sur la Seine la continuité de cette barrière de protection. Entreprise en 1365 et achevée en 1420 par Charles VI, l'enceinte de Charles V engloba des terrains situés vers le Louvre et la Bastille. Elle mesurait jusqu'à 80 mètres de large.

En 1785, fut entamée l'édification de l'enceinte des Fermiers Généraux. Destinée à la perception des taxes sur les marchandises entrant dans la capitale, elle entourait Paris, percée d'une cinquantaine d'octrois. Construits par Claude-Nicolas Ledoux, certains de ces pavillons sont encore debout, dont ceux place de la Nation près des colonnes du Trône et place Denfert-Rochereau. Ils portent la marque d'une architecture à vocation universelle, sorte d'ordre stylistique inspiré de l'antique mais visionnaire. « Le mur murant Paris rend Paris murmurant » est une formule célèbre qui dit assez combien la population supporta mal ces barrières d'impôt. La fronde révolutionnaire y a puisé ses forces. Aujourd'hui, cette enceinte est une succession de boulevards, empruntée sur certaines portions par le métro aérien, dont notamment les boulevards Vincent-Auriol, Auguste-Blanqui, Saint-Jacques, Pasteur, Grenelle, Rochechouart, la Chapelle, Picpus, Reuilly ou Bercy...

Un décret du 24 août 1794 (7 fructidor an II) avait scindé la capitale en douze arrondissements. Une dernière muraille fut édifiée sous le gouvernement d'Adolphe Thiers en 1846 pour les inclure. Alors que l'Europe démantelait ses fortifications, Paris s'en offrit de considérables. Bâtie au long d'un périmètre distant de 1 à 3 kilomètres des limites administratives de Paris, elle fit naître un entre-deux qui devait finir par s'agglomérer à la capitale. Car, sous Napoléon III, le baron Haussmann, préfet de Paris, décida d'augmenter la surface de la ville par adjonction des communes avoisinantes. Tout le territoire sis entre l'enceinte des Fermiers Généraux et celle de Thiers fut ainsi annexé. Paris qui comptait douze arrondissements en eut d'un coup vingt. Aujourd'hui, le périphérique emprunte le tracé de cette dernière enceinte enfin démantelée. Cette voie rapide constitue une autre barrière infranchissable entre la banlieue et Paris. La capitale demeure prisonnière d'une ceinture de macadam et de voitures.

Un fleuve, des Romains, des enceintes... Au fil des siècles, de l'antique au révolutionnaire en passant par les temps médiévaux, Paris n'avait donc fait qu'ajouter à son patrimoine toujours plus de bâti. Et finalement, les Parisiens étouffèrent.

Les travaux d'Haussmann. Pour donner de l'air à la capitale, pour la moderniser, pour faire d'elle ce que Walter Benjamin appellerait plus tard « la capitale du XIXe siècle », Georges Eugène Haussmann décida d'une politique d'une audace inédite. Préfet de Paris durant dix-sept années, il eut le temps de bouleverser la ville. Ses grands travaux conduisirent à la destruction de 13 % du patrimoine bâti, soit 4 349 maisons ! De ce traumatisme naquit une ville d'exception car en rasant une partie des quartiers médiévaux, Haussmann en préserva la plus grande part. Ainsi Paris superpose deux plans, l'ancien fait de quartiers de rues étroites et le nou-

veau où s'ouvrent les larges avenues. On peut par exemple aller des Halles à l'Opéra en empruntant les trouées haussmanniennes des grands boulevards ou bien suivre un itinéraire à l'ancienne, véritable enfilade de passages couverts. Ceux-ci constituent d'ailleurs une attraction de Paris. Le premier fut construit en 1791 par l'architecte Hubert Thibierge. Le passage Feydeau avait pour vocation, comme tous ceux qui le suivirent, d'accueillir les Parisiens à la descente de leur carrosse. Les rues étant alors boueuses et crottées, c'était un bonheur inédit que de marcher dans une rue couverte par une verrière et éclairée de jour comme de nuit. En principe, les passages donnaient accès à des boutiques et toujours un théâtre. Ceux-ci ont perduré.

Le XXe siècle a modifié Paris de diverses manières. Tout d'abord, par l'édification de nombreuses cités de logements à bon marché (les HBM). Construites en brique, elles ont souvent pris place au fil des boulevards extérieurs (ex-enceinte de Thiers). Le mouvement moderne a failli anéantir la capitale. En 1925, l'architecte Le Corbusier dessine son « plan Voisin ». Il propose alors de raser tout le centre-ville ! Par chance, Paris échappa à cette modernisation forcée. On détruisit tout de même, à la fin des années 1960 dans le cœur de Paris, le grand marché alimentaire des Halles. Les sublimes pavillons en fer de Baltard sombrèrent sous les coups des pelleteuses et ce fut un choc ! Le Marais, alors insalubre et qu'on promettait aussi aux bulldozers, en sauva ses meubles. C'est aujourd'hui l'un des quartiers les plus prisés de la capitale.

Les années 1970 furent celles des voies sur berge. Emprunter celle de la rive droite donne de Paris rive gauche une exceptionnelle vision en travelling. La succession des ponts y est également magnifiée. On édifia aussi des tours. Deux quartiers s'élevèrent et le moins qu'on puisse dire, c'est qu'ils n'ont pas plaidé pour l'architecture contemporaine. Édifiés sur dalle, nourris de gratte-ciel disgracieux, les secteurs Italie (XIIIe arrondissement) et Front de Seine (XVe arrondissement) témoignent d'une époque de boom économique. Auparavant, on avait déjà détruit le quartier de la place des Fêtes (XIXe arrondissement). L'ensemble de barres et de tours qui s'y élèvent maintenant a pris le sobriquet de « place Défaite ». C'est tout dire.

Aujourd'hui, dans les quartiers Bercy (XIIe arrondissement) et Massena-Rive gauche (XIIIe arrondissement), la ville tente de faire naître un nouveau quartier moderne et convivial. Rues plus étroites, refus de l'architecture sur dalle, commerces, équipements, logements assurent la mixité sociale. Des universités s'y implantent. L'avenir dira qu'en penser.

14 / La Conciergerie.

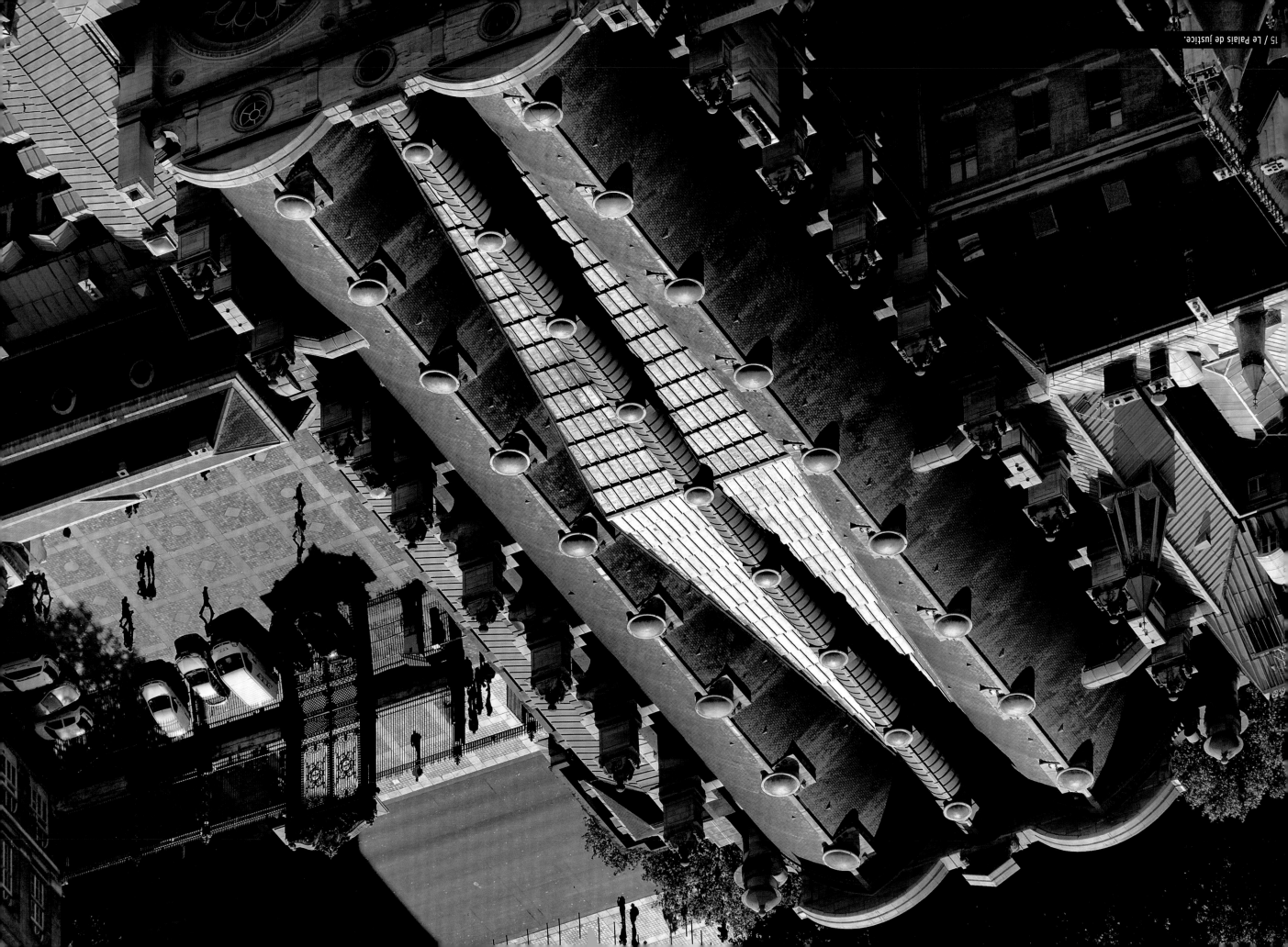

16 / La Sainte-Chapelle et le Palais de justice.

18 / L'île de la Cité et l'île Saint-Louis.

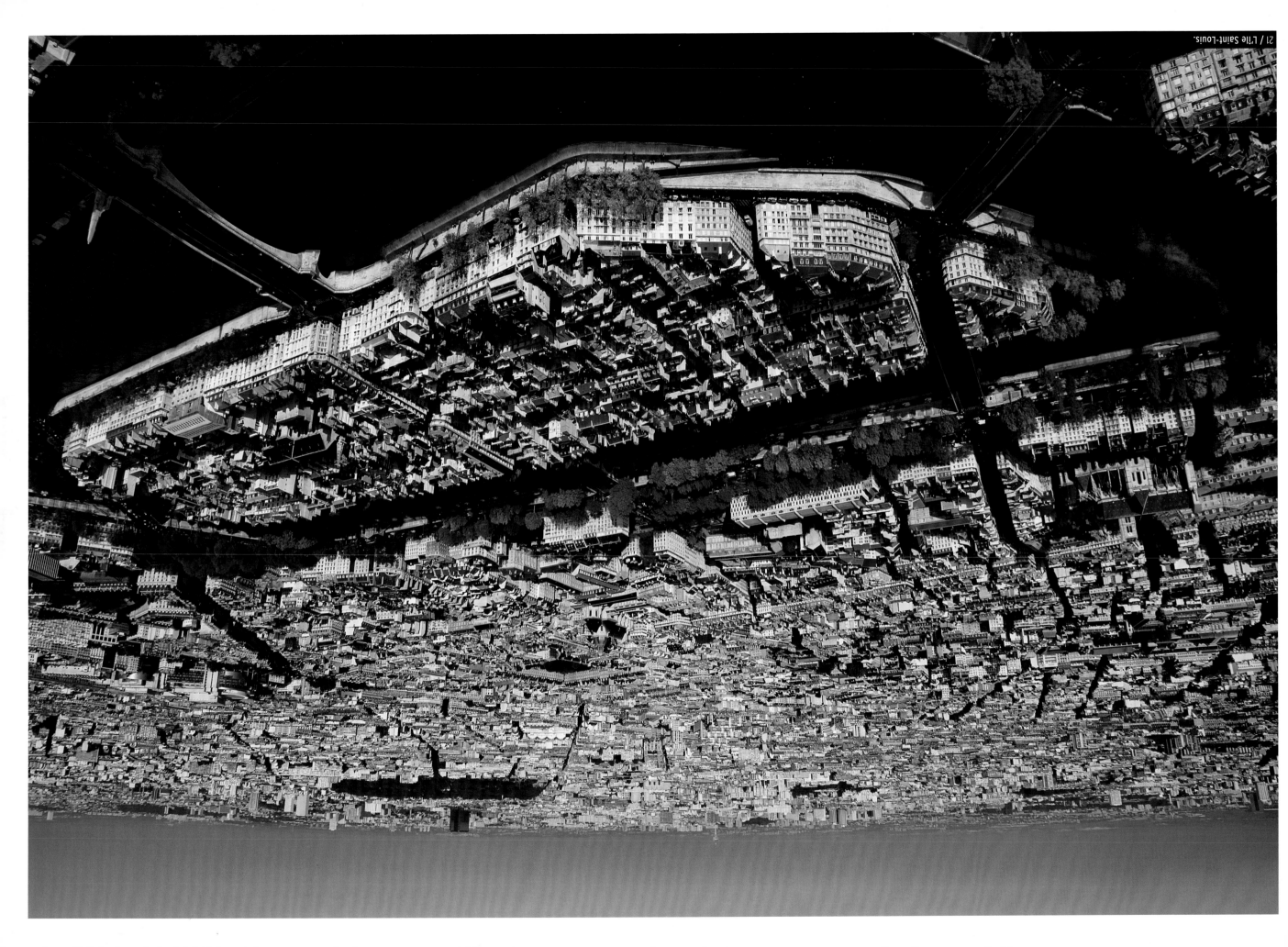

Page 13 / Statue équestre d'Henri IV.

La statue équestre du roi Henri IV érigée sur le pont Neuf a connu bien des déboires. Commandée par Marie de Médicis à un architecte qui décéda avant de l'avoir réalisée, elle fut exécutée à Florence et envoyée en France par bateau. Mais le navire coula, et la statue avec, au large de la Sardaigne. Elle fut récupérée un an plus tard et installée sur son socle en 1614. Détruite à la Révolution, comme la plupart des statues de bronze pour être fondue, elle reprit sa place en 1818. Pour ce faire, une copie en fut faite dans le bronze récupéré sur diverses statues dont celle de Napoléon qui trônait en haut de la colonne Vendôme. La statuaire équestre répond à des codes très précis qui visent à faire du roi et de son cheval l'équivalent d'un centaure. Cette statue surprend par le calme et la grandeur qu'elle inspire.

Page 14 / La Conciergerie.

Ancien palais de la Cité, la Conciergerie fut aménagée en palais royal par Philippe le Bel. Sur ce même site régnaient autrefois les gouverneurs romains. Dès la fin du XIVᵉ siècle, il fut déserté par les monarques capétiens au profit du Louvre. Transformée en partie en prison, rebaptisée Conciergerie car le concierge nommé par le roi y assurait l'ordre public, elle fut considérée comme « l'antichambre de la mort » durant la terreur de 1793. La reine Marie-Antoinette y fut incarcérée avant son exécution. Sa cellule reconstituée est accessible au public.

Page 15 / Le Palais de justice.

Le double toit à verrière de la salle des pas-perdus du Palais de justice. En face, au nord, se dresse le Tribunal de commerce. Dans ses travaux d'aménagement parisien, le baron Haussmann avait en effet décidé de flanquer la Conciergerie d'un bâtiment public. Sa gigantesque coupole haute de 42 m répond par souci de symétrie à la tour de l'Horloge qui marque l'angle du boulevard du Palais et du quai de l'Horloge. Pour cette raison, ce grand volume vide n'est pas situé au centre du bâtiment qu'il coiffe mais sur le côté afin d'être dans l'axe de la gare de l'Est, point focal du nouveau boulevard de Sébastopol ouvert à la même époque.

Page 16 / La Sainte-Chapelle et le Palais de justice.

Enserrée par le Palais de justice, la Sainte-Chapelle fut édifiée entre 1242 et 1248 à la demande de Saint-Louis pour y abriter des reliques : un morceau de la Sainte Croix, la Sainte Couronne et divers objets témoignant de la passion du Christ. Chef-d'œuvre gothique, l'édifice est conçu comme une châsse. Au rez-de-chaussée, la chapelle basse est consacrée à la Vierge. La chapelle haute était réservée à l'élite. D'un seul tenant, elle est d'autant plus exceptionnelle qu'on la découvre au

débouché d'un escalier étroit. La préfecture de police occupe toute la partie au sud de l'île. Dans de nombreux romans policiers, elle est évoquée sous l'appellation de « tour Pointue », en référence à la tour qui en marque la façade sur le quai des Orfèvres, autre synonyme de « police ».

Page 17 / L'Hôtel-Dieu.

La caractéristique d'un hôtel-dieu est d'être situé à l'ombre d'une cathédrale et de servir à la fois de lieu d'évangélisation et de soins. Fondé en 651, l'Hôtel-Dieu de Paris fut longtemps le seul hôpital de la capitale. Il s'étendait à l'origine sur l'île de la Cité et sur la rive gauche. Les deux bâtiments étaient reliés par le Pont-au-Double, situation privilégiée car on considérait alors le vent continu comme le meilleur traitement contre les miasmes. Sa reconstruction par le baron Haussmann au cœur même de l'île de la Cité s'accompagna des vives protestations des médecins et des malades.

Page 18 / L'île de la Cité et l'île Saint-Louis.

L'île de la Cité puis l'île Saint-Louis dressent cathédrale, églises et bâtiments à mi-distance des deux rives de la Seine. Dans l'opposition historique entre rive droite et rive gauche, elles forment un site neutre. De fait, l'île de la Cité est principalement occupée par des édifices publics : hôpital de l'Hôtel-Dieu, préfecture de police, Palais de justice, Tribunal de commerce. Seul, le marché aux fleurs nimbe l'ensemble d'une touche de superflu. Une autre rivalité oppose les Parisiens : l'est et l'ouest. Depuis toujours, la partie orientale de Paris est ouvrière quand l'occidentale est plus nantie. À cela, il y a une raison météorologique. Le sens de la rotation de la Terre pousse, dans l'hémisphère nord, les vents d'ouest en est. Conséquence, historiquement, les usines ont été installées à l'est pour ne pas enfumer la capitale. Dès lors, les pauvres s'y sont retrouvés et les riches s'en sont éloignés. Aujourd'hui, ces différences de classes tendent à s'estomper mais elles n'ont pas disparu.

Page 19 / La cathédrale Notre-Dame.

Il fallut deux siècles pour édifier la cathédrale Notre-Dame de Paris. De facture gothique, elle fut mutilée durant la Révolution et dut subir un « lifting » au XIXᵉ siècle. Viollet-le-Duc en profita pour la doter de quelques attributs médiévaux de son inspiration. Une plaque installée sur le parvis sert de point zéro à partir duquel sont calculées toutes les distances entre Paris et la province. La cathédrale s'est implantée au cœur de l'île de la Cité, là où probablement s'élevait un temple païen au début de l'ère chrétienne. Le roman de Victor Hugo Notre-Dame de Paris, publié en 1831 et dont les personnages principaux sont Quasimodo et Esméralda, contribua largement à sauver l'édifice dont l'état de délabrement au

début du XIXᵉ siècle scandalisait l'écrivain. La cathédrale est le lieu des grandes cérémonies, funérailles nationales de chefs d'État ou cérémonies du souvenir.

Page 20 / Île Saint-Louis.

Paris a la réputation d'être la ville où se déploie la plus belle palette de gris. Cela tient d'abord à la couleur de ses toitures. Comme ici, dans l'île Saint-Louis, les variations du zinc font miroiter les toits et leur confèrent une tonalité proche de celle des eaux de la Seine dont les bras étreignent cette langue de terre. Il fut un temps où la diversité des teintes de toiture était plus grande qu'aujourd'hui. Les Romains utilisaient la tuile et l'on fit même usage du chaume. Le charme du vieux Paris naît aussi de la diversité des formes des combles et des soupentes de ces maisons. On aimait les belvédères, les clochetons, les chiens-assis. Toutes ces facéties architecturales, loin d'en perturber la cohérence générale la soulignaient. L'île Saint-Louis est à ce titre, avec le clocher de son église dressé au centre, un exemple parfait d'unité et d'inventivité urbaine.

Page 21 / L'île Saint-Louis.

L'île Saint-Louis, sise entre les bras de la Seine en amont de l'île de la Cité, est un paradis pour VIP. Charles Baudelaire, Camille Claudel, Léon Blum, Georges Pompidou y résidèrent, comme quantité d'acteurs, d'hommes d'affaires ou d'écrivains. Il est vrai que son architecture, son urbanisme, son église et ses ponts en font un décor qui résume à lui seul le charme incomparable de Paris. Se promener sur ses quais au fil de la Seine, c'est sentir palpiter le Paris éternel. À l'origine, l'île s'appelait Notre-Dame. En 1356, lors de la construction de l'enceinte de Charles V, on y creusa un chenal qui la coupa en deux. Celui-ci fut ensuite comblé et la rue des Deux-Ponts a pris sa place. Son lotissement constitua une première en matière de promotion immobilière. Louis Le Vau y bâtit nombre de palais qui subsistent toujours.

Ci-contre / Le palais du Louvre.

Demeure des rois de France, le Louvre n'a cessé d'être agrandi, restructuré. Hier enserré dans le Paris médiéval, il en a été dégagé par les travaux d'Haussmann et l'ouverture de la rue de Rivoli. Sur son flanc est, la façade de style néo-classique est dite colonnade de Perrault. Elle donne accès à la Cour Carrée qui, une fois la Cour déplacée à Versailles, accueillit un véritable quartier urbain. Les collections du musée, l'un des plus grands du monde, ont été initiées en 1793. Elles comprennent, entre autres chefs-d'œuvre, Mona Lisa, la Joconde de Léonard de Vinci. Après une rénovation importante marquée par l'édification de la Pyramide (architecte I. Ming Pei), le musée s'est augmenté d'une section consacrée aux arts d'Afrique et d'Océanie (architecte Jean-Michel Wilmotte) et devrait bientôt s'ouvrir aux arts de l'Islam. L'architecte Rudy Ricciotti a proposé de transformer une actuelle cour intérieure en une allégorie de la tente bédouine.

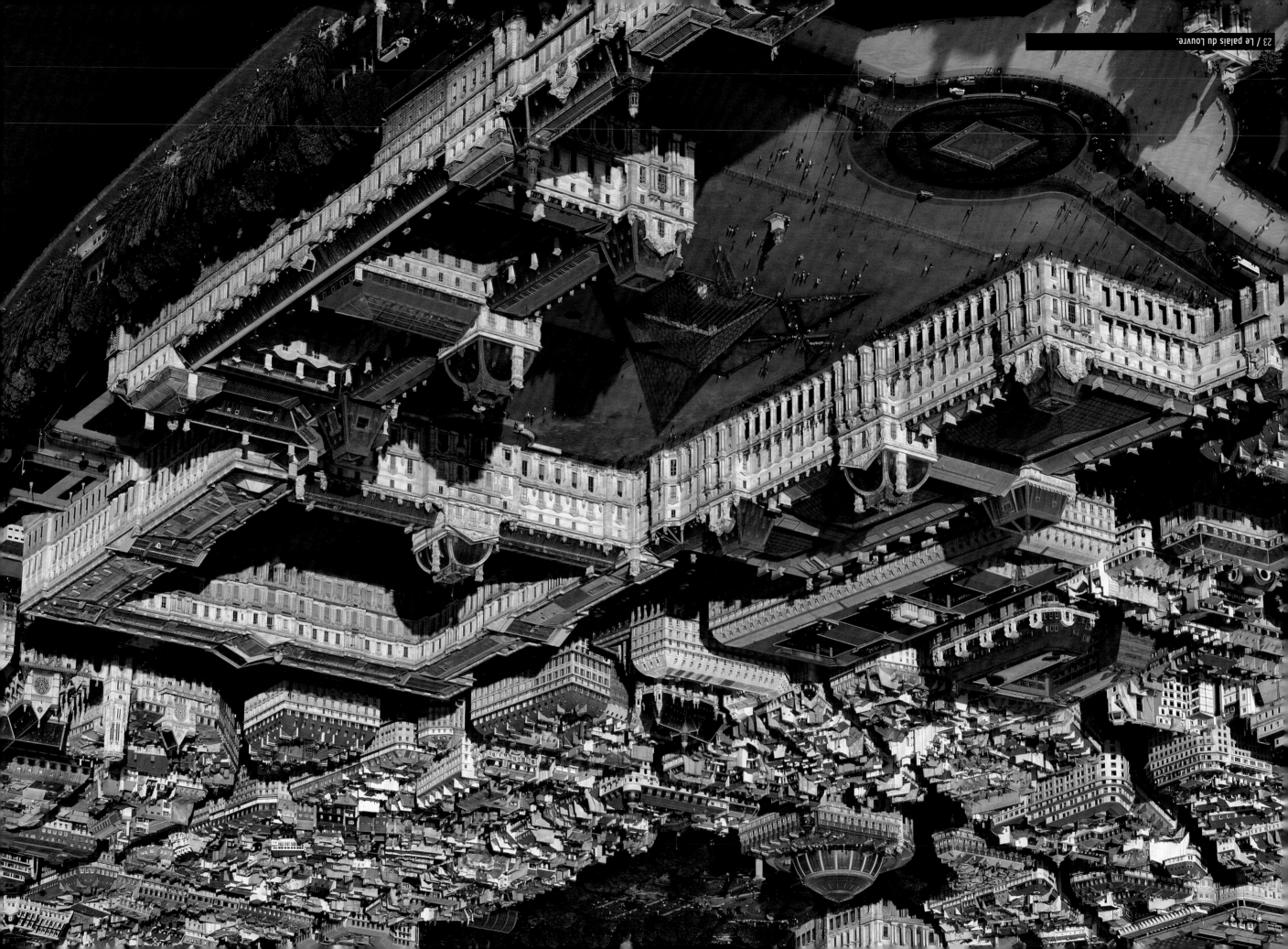

Les dessous de Paris

Quitter le plancher des vaches, prendre de la hauteur, n'y change rien. Cette réalité-là, tapie dans les sous-sols de la capitale, imperceptible à l'œil nu, échappe à l'objectif. La ville est un gruyère et ses immeubles, ses rues, ses quartiers sont bâtis sur du vide. Fans de cryptes, amateurs de souterrains, gothiques et adeptes de cultes infernaux, aventuriers de bas étage, tous le savent et en raffolent. Les services de la Ville ont beau, ici et là, boucher des trous et colmater des brèches, rien n'y fait ; les amateurs de tunnels finissent toujours par desceller un moellon, tirer une dalle, forcer une plaque de fonte. Depuis des siècles, intrus et maréchaussée jouent au chat et à la souris dans les sous-sols de la capitale. À la nuit tombée, les spéléologues urbains replongent et les cavalcades de catacombes reprennent. C'est que la tentation de se glisser sous le tapis d'asphalte est forte. Paris a tellement miné son sous-sol qu'il aspire tous ceux que perturbent les gouffres.

Qui veut comprendre la ville doit étudier son sol, s'enfouir pour creuser la question. La région parisienne a été submergée par plusieurs mers qui l'une après l'autre ont déposé des sédiments formant autant d'étages. Certaines couches, résultantes de mers chaudes, abondent en faune marine riche en mollusques. La plupart des formations géologiques ont ensuite fait l'objet d'exploitation systématique. Le sol de Paris a amplement nourri les Parisiens. Depuis le XIIIe siècle, les bâtisseurs exploitent le sous-sol. Du calcaire grossier qui constitue sa base, des carriers ont extrait de quoi édifier des rues entières. Du gypse en abondance, on a fabriqué le plus beau plâtre du monde, et les sables fins dits de Fontainebleau ont été largement utilisés pour produire verrerie et fonderie. Enfin, des marnes vertes et des argiles, on a tiré des tuiles, des briques et des poteries.

À force d'extraction, près du douzième de la surface de Paris s'est retrouvé sous-miné. On a tellement creusé la colline de Montmartre qu'on dit désormais qu'« il y a plus de Montmartre dans Paris que de Paris à Montmartre ». On a fouillé aussi sous le quartier Saint-Jacques. À l'aplomb de l'Observatoire dont les travaux débutèrent le jour du solstice d'été 1667, des vides abyssaux, résultant d'excavations menées par des carriers un siècle et demi plus tôt, obligèrent les architectes à consolider l'édifice. Les caves renforcées d'arcs de soutien développent plus de 800 mètres de tunnels. Le bâtiment abrite toujours un puits de 55 mètres de profondeur qui a servi à de multiples expériences scientifiques sur la chute des corps.

Dans ce quartier, combien d'architectes se sont arraché les cheveux en découvrant que les fondations de leur bâtiment reposaient sur du vide ? François Mansart le paya très cher quand, en 1645, il entreprit d'édifier pour Anne d'Autriche le Val-de-Grâce. Obligé de combler des trous abys-

saux, il vit le budget alloué aux travaux exploser. On le limogea. À Paris, qui voulait célébrer le paradis en élevant une église sombrait souvent dans un enfer de tréfonds. C'est que le ciel et la terre sont plus proches qu'on ne le croit. La grande fête des carriers n'avait-elle pas lieu le jour de l'Ascension, afin de célébrer le lien immanent qui unit azur et profondeurs ? L'hôpital Cochin fut inauguré, lui, en 1782, pour venir en aide aux ouvriers de carrière du faubourg Saint-Jacques victimes des accidents. À l'époque, les blessés devaient être acheminés à l'Hôtel-Dieu sur l'île de la Cité et, bien que la distance soit courte, beaucoup décédaient en chemin. Leur nombre allait croissant car la population parisienne ne cessant de grossir, la demande en logements enflait. Et du même coup, les accidents. Les Parisiens se mirent à trembler d'effroi. Ils se voyaient déjà engloutis, aspirés dans les entrailles de la cité. Il fallait agir. Le 4 avril 1777, Louis XVI crée une « Inspection des carrières ». Le 27 juillet 1778, sept personnes sont encore avalées à Ménilmontant, puis la chaussée cède sur plusieurs dizaines de mètres près de la place Denfert. Le sous-sol de la capitale est devenu une menace permanente. À chaque instant, on s'attend à ce que la terre digère carrefours, maisons et habitants. Le 4 juillet 1813, un décret impérial met un terme à l'extraction de la pierre à fin de construction dans Paris *intra-muros*. L'exploitation des carrières se poursuivra pourtant dans la périphérie jusqu'en 1962.

Cesser les travaux ne suffit pas. Il faut aussi combler, consolider les sous-sols. Bonne idée, car en 1832 une terrible épidémie de choléra frappe la capitale. Dans la foulée, elle frappe aussi les esprits. L'insalubrité de Paris devient intolérable. En 1854, le directeur du service des Eaux élabore avec les ingénieurs des Ponts et Chaussées un système complet d'égouts. Ce réseau trouve dans le sous-sol miné de Paris tout un ensemble de tunnels à sa disposition. En 1894, est enfin imposé le tout-à-l'égout. Le sous-sol de la capitale est sous contrôle. Aujourd'hui, l'égoutier chaussé de ses cuissardes et coiffé de son casque à lampe frontale est une étrange figure parisienne. On le devine maître de territoires obscurs où rats et détritus lui disputent l'espace. Les sous-sols de Paris excitent toujours l'imagination.

Quand la Ville Lumière plonge dans les heures sombres, les sous-sols reprennent du service. En 1870, les habitants de la capitale avaient durement redouté le travail de sape des Prussiens avant d'y trouver refuge lors des deux guerres suivantes, transformant les caves en abris anti-bombardements au temps où Paris réceptionnait les obus de la « Grosse Bertha ».

Plus que les réfugiés, les écrivains aiment les tunnels. La ville est sous leur plume un corps vivant trouvant dans ses sous-sols sa propre parodie ; ses conduites d'eau sont ses veines, ses câbles électriques et télépho-

niques ses nerfs, les égouts son appareil digestif. L'imaginaire des feuilletonistes du XIXe siècle y a trouvé des décors à la mesure de ses coups de théâtre. Il faut dire qu'on y a stocké du vin, cultivé des champignons, installé des brasseries sur plusieurs étages – l'élixir des Chartreux par exemple, créé en 1605, était distillé dans les caves situées sous l'actuel jardin du Luxembourg. Les sous-sols sont des mines pour scénaristes. On a tourné moult films et séries dans les carrières de Paris et jusqu'à celles du fort d'Ivry : *Le Trou*, *Les Misérables*, *Les Brigades du Tigre*, *Les Mystères de Paris*... Les émules d'Arsène Lupin ou de Fantomas savent se repérer dans le système des plaques de rues qui, en sous-sol, double celui de la ville en surface. Et quand le sol fait défaut, il reste les cours d'eau réels ou inventés. Dans *Le Fantôme de l'Opéra* (1910), Gaston Leroux dérive au fil d'une rivière souterraine mouvant ses flots d'ébène sous le palais Garnier. Il est vrai que la Bièvre est enterrée et glisse maintenant sous les rues du quartier des Gobelins. Il fut un temps où dans ces tunnels voguaient aussi les pneumatiques, ces télégrammes propulsés par un jet d'air comprimé. C'était alors le sommet de la technique. Le fax et les SMS ont tué la tuyauterie. La saga des tunnels s'achève parfois en impasse.

Aujourd'hui, le sol parisien est plutôt sûr, avec une réserve pour Montmartre. En dépit d'une politique de comblement, une dizaine d'effondrements de toits de carrière, des fontis, surviennent chaque année, sans gravité. On creuse encore, des lignes de RER, des lignes de métro rapide.

En somme, si l'on devait faire aujourd'hui une coupe de la ville, on trouverait d'abord les immeubles et, enfouis à la hauteur des caves de ces habitations, les conduits de télécommunications, du gaz, de l'EDF et du chauffage urbain. Viendraient ensuite les égouts. Puis au niveau d'un troisième sous-sol de parking, à moins 5 mètres, les tunnels du Métropolitain, situés au-dessus d'autres tunnels de... métro, eux-mêmes reposant sur le réseau du RER (réseau express régional). À cette hauteur, le sous-sol de Paris est encore parcouru par le collecteur principal des égouts, les percées nécessaires aux câbles moyenne tension, et les transformateurs de l'EDF. Toute cette accumulation, véritable lasagne de tunnels, trouve son assise à moins 20 mètres, là où les immeubles ancrent leurs fondations dans le réseau ancien des carrières. Une nappe phréatique sise à 25 mètres de profondeur isole encore tout ce beau monde de la dernière trouée, celle du métro Éole qui progresse dans Paris sous Paris. Ainsi, la capitale danse sur l'abîme. En 1890, le métro était déclaré d'intérêt public. Aujourd'hui, c'est encore le plus sûr moyen de plonger sous terre et de vivre en mode « light » la captivante ivresse des profondeurs de Paris. L'attraction terrestre est une narcose car, comme l'écrivait Victor Hugo, « la corde ne pend pas, la terre tire ».

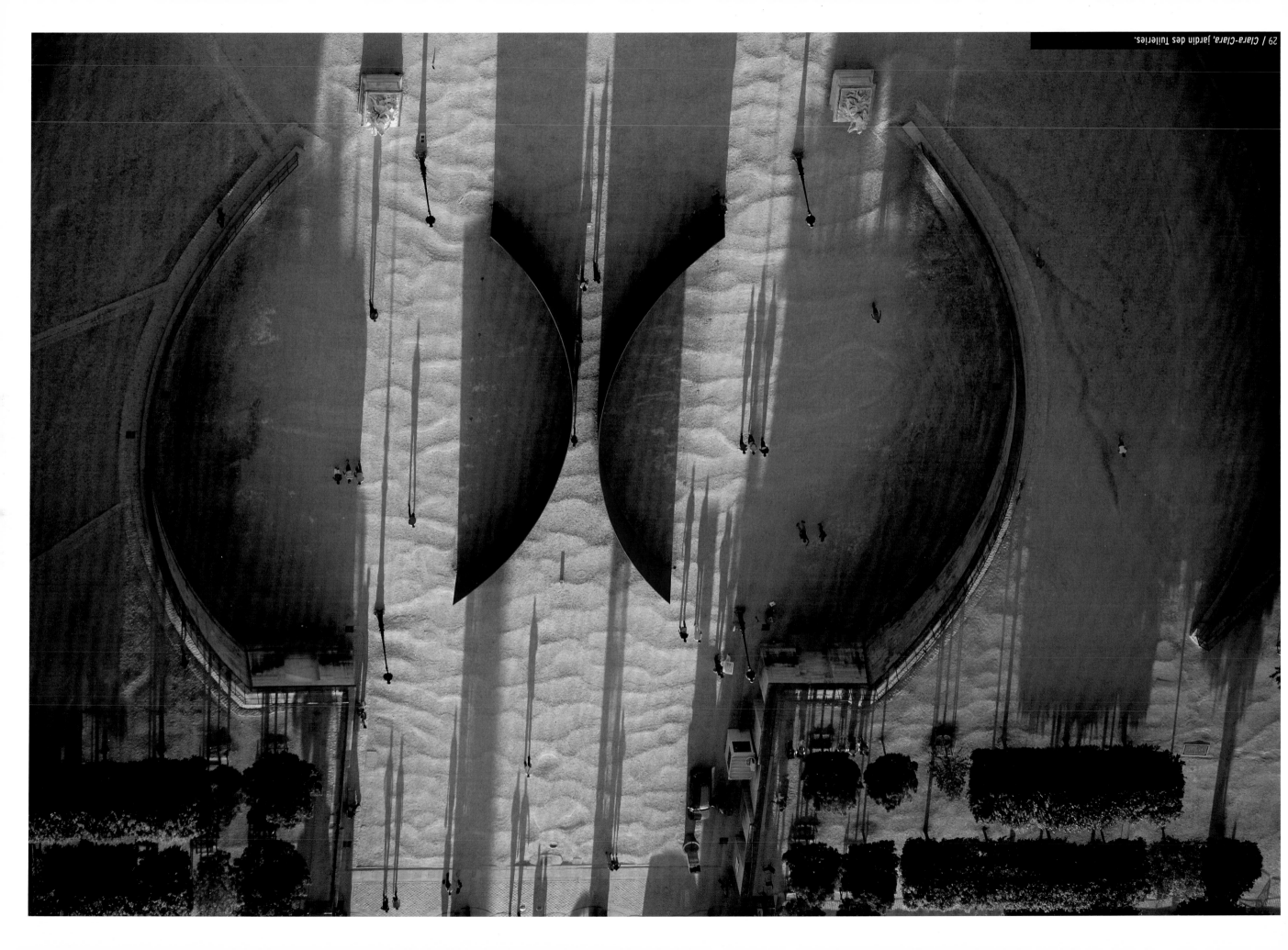

34 / Statue équestre de Louis XIV.

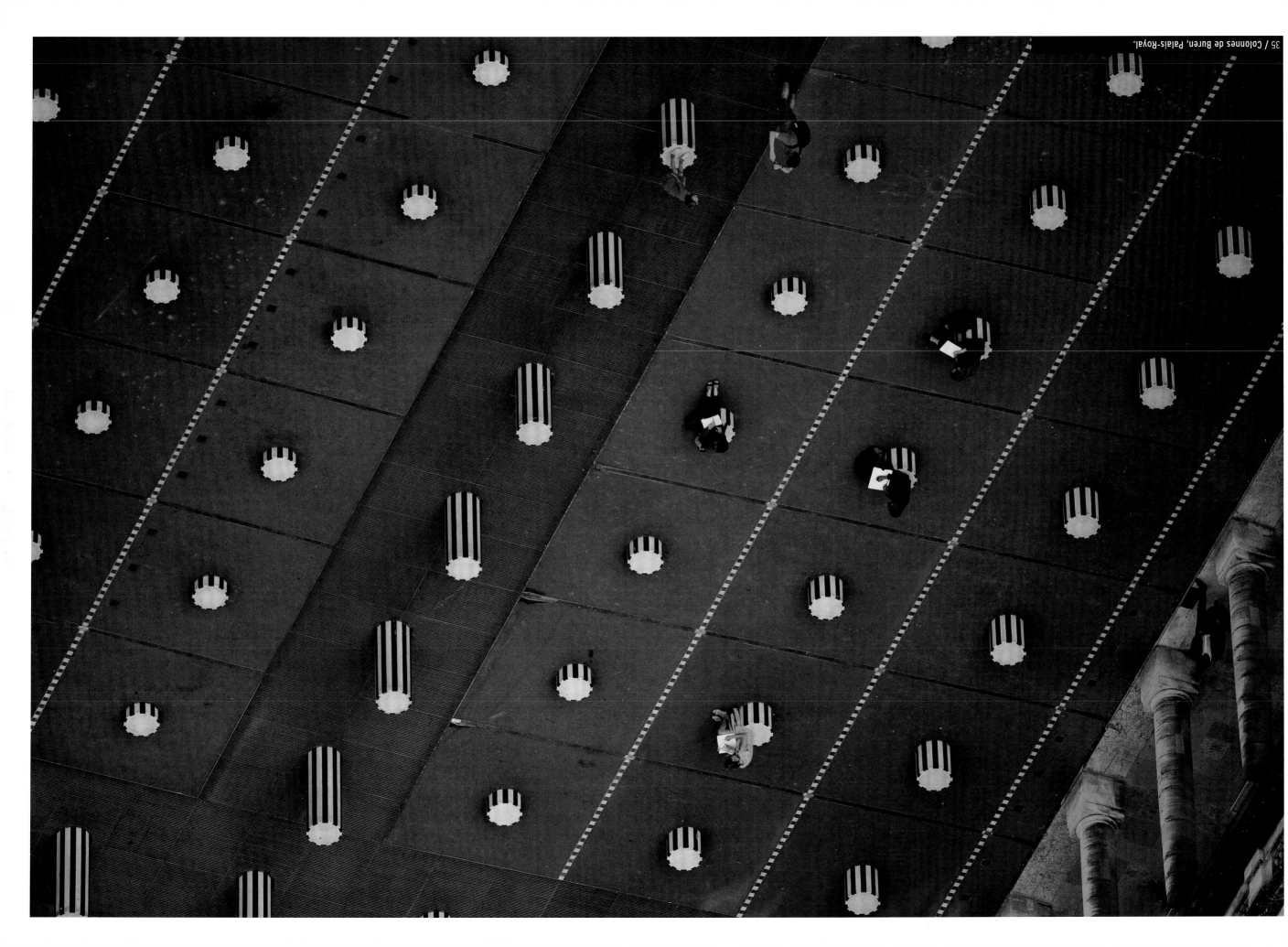

Page 24 / La pyramide du Louvre.

« Toutes les grandes œuvres sont simples », avait dit le président François Mitterrand. De fait, les érections architecturales regroupées sous l'appellation « grands projets du président » relèvent de formes basiques, une pyramide au Louvre bien sûr, mais encore un arc de triomphe pour la Grande Arche de la Défense, un ovale pour l'Opéra-Bastille, « quatre livres ouverts » pour la Très Grande Bibliothèque édifiée par Dominique Perrault.

Page 25 / À l'ombre de la pyramide du Louvre.

Dessinée par l'architecte américain d'origine chinoise, I. Ming Pei, la pyramide du Louvre est remarquable non seulement par son intégration dans le site hautement sensible du Louvre mais encore par la lumière qu'elle distille dans le grand hall d'entrée du musée, au sous-sol. La qualité du béton, l'élégance de l'escalier contribuent à faire, d'un espace de foule, un lieu propice à la culture. Les travaux d'embellissement du musée ont permis de dégager les restes des enceintes médiévales dont la visite est recommandée.

Page 27 / La pyramide du Louvre.

Ériger une pyramide au cœur de Paris, dans un espace aussi chargé d'histoire et de passion, ne va pas de soi. Le motif architectural, parce qu'il renvoie aux pyramides d'Égypte, fait écho encore à leur mystère. Il s'est trouvé aussitôt des devins et des prédicateurs pour élaborer toute une cohorte de théories farfelues. Les verres de la Pyramide seraient au nombre de 666, chiffre de la Bête ou du Diable dans les écrits bibliques ; il serait déconseillé à quiconque d'habiter dans un immeuble situé dans l'axe d'une des arêtes de la Pyramide, car alors les ondes négatives en seraient mortelles, etc. En vérité, le département des Antiquités égyptiennes du Louvre est magnifique et l'on peut penser que si sortilège il doit y avoir, les momies et les bandelettes devraient suffire à les activer. Il faut ajouter encore que les Français ont été impressionnés aux débuts de l'ère télévisuelle par un feuilleton intitulé *Belphégor*. Une momie errait de nuit dans les dédales du Louvre. L'épaisseur de l'énigme se doublait de l'aura de la chanteuse et actrice Juliette Gréco.

Page 28 / L'arc de triomphe du Carrousel.

Il faut s'installer sous l'arc de triomphe du Carrousel dès la nuit tombée et y attendre le passage des autocars de touristes. Toutes les cinq minutes, un mastodonte s'arrête, juste le temps pour ses passagers de prendre une photographie du monument et de la perspective des Champs-Élysées qui s'y déploie à l'arrière. À chaque fois, quatre-vingts flashs zèbrent en même temps la nuit noire, inondant le paysage et vous-même d'une brève mais céleste lumière. On ne peut mieux titiller le triomphe.

Page 29 / *Clara-Clara*, jardin des Tuileries.

Un casse-tête, voilà ce que représente pour les responsables du jardin des Tuileries les splendides sculptures *Clara-Clara* de Richard Serra installées en 1983. Démontées, stockées, puis remontées dans le parc, elles demeurent suspendues à une décision définitive. Leur entretien est difficile, la crainte des tags permanente. Le jeune public, lui, a trouvé dans le canyon de ces deux parenthèses d'acier un terrain de jeu idéal. À tour de rôle, chacun s'élance et bondit dans l'espoir de frapper le métal le plus haut possible. La trace de la chaussure faisant foi. Pour l'heure, l'œuvre demeure *in situ*, transformant, avec quelques autres, les Tuileries en un musée de la sculpture en plein air. Quiconque traverse le parc, pour se rendre au musée du Jeu de paume ou simplement échapper au capharnaüm des automobiles lancées rue de Rivoli, peut en jouir gratis.

Page 30 / Le jardin des Tuileries.

Le vaste jardin des Tuileries se trouve aujourd'hui dans le prolongement direct de la cour du Louvre où trône la pyramide de l'architecte Pei. Il n'en fut pas toujours ainsi. Un long bâtiment, le palais des Tuileries, fermait le quatrième côté de cet espace muséal. Incendié durant la Commune de Paris en 1871, il demeura de longues années à l'état de ruines. Le débat sur son avenir faisait rage. Partisans et adversaires de sa reconstruction s'affrontaient dans des joutes oratoires grandioses. Finalement, en 1882, les gravats furent enlevés et le terrain dégagé. Le jardin des Tuileries fut dessiné par Le Nôtre, le jardinier de Versailles, d'où son aspect de jardin à la française. Deux musées s'y trouvent : le musée du Jeu de paume, consacré à la photographie, et l'Orangerie.

Page 31 / Jardin du Carrousel.

Le jardin du Carrousel présente, de chaque côté de l'arc qui en fait sa majesté, deux labyrinthes de verdure en surplomb. De hautes haies, comme on peut en rencontrer dans le bocage normand, mais plus fournies, dissimulent à la vue des passants ceux qui s'y aventurent. Disposés en éventail, ces massifs servent d'écrin aux diverses sculptures de Maillol représentant des nymphes, des déesses au bain. Ces plantations font en quelque sorte office d'antichambre au vaste jardin des Tuileries qui conduit le promeneur jusqu'à la place de la Concorde. La nuit, ces bosquets rectilignes connaissent une affluence d'un genre assez particulier.

Page 32 / Le palais du Louvre.

Si le Louvre au premier plan occupe une bonne part de l'image, il trouve une extension inattendue dans le jardin du Palais-Royal qui le surplombe au nord. Plus étroit, édifié en longueur, ce lieu presque secret, auquel on accède par quelques portes étroites, est un haut lieu de l'histoire de Paris.

Incroyables et Merveilleuses s'y retrouvaient pour célébrer en 1797 la fin de la période tragique de la Terreur. Les hommes affectaient des tenues excentriques, redingotes courtes à col géant, lunettes de myope, cheveux retombant en oreilles de chien, les femmes s'habillaient d'un rien, à l'antique. Cette jeunesse dorée fréquentait les théâtres dont quelques-uns subsistent, la Comédie-Française entre autres.

Page 33 / La place Vendôme.

Chic et chère, la place Vendôme fut édifiée en 1699 par l'architecte Jules Hardouin-Mansart. Il faut en admirer l'élégance depuis un premier étage. Celui-ci est accessible parfois lors d'expositions temporaires, chez le joaillier Chaumet en particulier. Ce quadrilatère est dominé par l'hôtel Ritz et le ministère de la Justice. Les boutiques de luxe qui l'entourent assurent toutes une garde solide à la colonne Vendôme érigée en 1810 à partir des centaines de canons pris par les soldats de Napoléon aux armées russe et autrichienne. Son destin fut chaotique. En 1871, l'appel du peintre Courbet pour sa destruction fut entendu par les communards. Déboulonnée, la colonne fut ensuite reconstruite... aux frais de Courbet ! Le peintre, ruiné, s'exila en Suisse.

Page 34 / Statue équestre de Louis XIV.

Sur le flanc de la pyramide du Louvre, se dresse une statue équestre de Louis XIV. Il s'agit d'une réplique en bronze de l'originale installée au château de Versailles et signée par Le Bernin (1598-1680). Le roi voulait qu'elle soit disposée dans l'axe menant du Louvre aux Tuileries mais l'ayant trouvée détestable, elle fut remisée. Il en fit rectifier la tête par Girardon et, ainsi parée, la sculpture trouva sa place au sud de la pièce d'eau des Suisses à Versailles. En 1980, elle fut vandalisée, restaurée, mise à l'abri ! Sa copie parisienne fait pour l'heure bonne figure.

Page 35 / Colonnes de Buren, Palais-Royal.

Installées dans la cour d'honneur du Palais-Royal, les colonnes de l'artiste Daniel Buren ont fait couler beaucoup d'encre et nourri moult colonnes de journaux. Buren, vilipendé ou soutenu, est devenu une icône du combat des « anciens » (hostiles) et des « modernes » (favorables). En vérité, il se pourrait que l'opinion ait été choquée moins par l'alignement de ses potelets que par les rayures qui les animent. Écho des stores des logements donnant sur le Palais-Royal, cette alternance de gris et de blanc a semblé dérailler. Il est vrai que, comme l'a si bien montré le médiéviste Michel Pastoureau, la rayure est « l'étoffe du diable » et que le bouffon, souvent, l'a portée pour mieux railler les puissants.

Ci-contre / Fontaine, Palais-Royal.

Artiste né en Belgique, Pol Bury (1922-2005) fut très tôt marqué par le surréalisme. Après avoir croisé les fondateurs du mouvement CoBrA (Copenhague, Bruxelles, Amsterdam) dont Pierre Alechinsky, il délaissa la peinture pour s'adonner à d'autres activités artistiques telles que l'écriture, la création de bijoux et surtout la sculpture de fontaines. En maître du « mouvement lent », il utilisa divers matériaux auxquels il donna forme et dynamisme. Il s'inscrivit alors comme l'un des plus importants représentants de l'art cinétique. Celui-ci marquera profondément les années 1960 et 1970. Dans la cour d'honneur du Palais-Royal, à côté des colonnes de Buren, il a dressé cette fontaine à boules dont les sphères reflètent les colonnades classiques qui les enserrent.

40 / L'église Saint-Eustache.

44 / Plateau Beaubourg.

Page 38 / La place René-Cassin.

Avec un sens de la provocation consommé ou une arrogance considérable, les architectes du quartier des Halles ont comparé la place René-Cassin, qui s'étend aujourd'hui devant l'église Saint-Eustache, à la place du Palio à Sienne. Célèbre pour sa course de chevaux, les façades de ses immeubles et les fresques dissimulées derrière, la cité italienne, il est vrai, possède une place où l'effet d'arène, de conque, de coquille Saint-Jacques est magnifié. La retrouver ici, en plein Paris, exige un effort d'imagination assez considérable. De fait, la place, conçue par l'architecte Louis Arretche, est devenue au fil des ans, le point de rassemblement des skaters qui apprécient de sauter de marche en marche sur leur planche à roulettes. Vouée au théâtre de rue, aux performances de baladins, la place est victime de son succès et des foules qui sans cesse se déversent dans l'ancien quartier des Halles.

Page 39 / *Écoute*, place René-Cassin.

Les enfants apprécient de pouvoir grimper sur la sculpture que l'artiste Henri de Miller a réalisée pour la place René-Cassin. L'*Écoute* juxtapose une tête couchée et une main en conque. Disposer des œuvres d'art dans les parcs et les jardins est une tradition parisienne. Les squares comptent des théories de statues, fontaines et autres murs peints. Pour dynamiser et rendre plus convivial le futur projet de réaménagement du jardin des Halles, dû au lauréat du concours, David Mangin, le maire de Paris, Bertrand Delanoë a suggéré l'idée d'en faire un parc de sculptures à ciel ouvert. Osons dire qu'il s'agit là souvent d'un procédé cosmétique qui vise à sauver de l'ennui des « tartines » de gazon sans génie. Qu'importe, si demain les enfants s'amusent à grimper sur les œuvres, l'opération n'aura pas été vaine.

Page 40 / L'église Saint-Eustache.

Située à proximité du Louvre alors résidence des souverains de France, l'église Saint-Eustache, à vocation royale, impressionne par ses dimensions. Elle eût pu être plus grande encore si l'argent n'avait manqué pour en achever la construction. Débutés en 1532, les travaux cessèrent en 1637. La façade actuelle fut édifiée plus tard encore, en 1754, par Jean Hardouin-Mansart de Jouy. Église des Halles du temps des pavillons de Baltard (détruits en 1972), elle possède un jeu d'orgue exceptionnel, doté de plus de 8 000 tuyaux ! Louis XIV y fut baptisé ainsi que Richelieu, Molière, Mme de Pompadour et Colbert. On y célébra les obsèques de La Fontaine et de Mirabeau. L'acteur de la *commedia dell'arte*, Scaramouche, y fut inhumé mais ses restes ont disparu dans la tourmente des siècles.

Page 41 / Le jardin des Halles.

L'ex-Bourse aux grains, à l'extrémité gauche du parc sur la photo, est aujourd'hui occupée par la Chambre de commerce et d'industrie de Paris. Édifiée au XVIIIe siècle, à l'époque où le grain constituait la base de toutes les études économiques, la halle aux Blés, bâtiment circulaire à colonnades, marqua les débuts d'une architecture de bâtiments publics, construits à l'écart de tout autre édifice. Son architecture fut révisée de nombreuses fois, suite à divers incendies. Ainsi, la coupole, à l'origine à ciel ouvert, ne fut close qu'ensuite pour protéger les grains des intempéries. Sur le flanc de la Bourse, se dresse toujours la colonne de Côme Ruggieri. L'astronome et conseiller florentin dispensa ses prévisions à Marie de Médicis au XVIIe siècle. La Bourse s'intégrait hier à merveille dans l'ensemble du « ventre de Paris », les Halles de Baltard.

Page 42 / Le Forum des Halles.

Les contemporains de la destruction des Halles, dans les années 1970, se souviennent du trou gigantesque qui remplaça les pavillons de Baltard. Le cinéaste italien Marco Ferreri y tourna un film intitulé *Touche pas à la femme blanche*. En 1979, les architectes Claude Vasconi et Georges Pencreac'h livraient le Forum des Halles. Véritable négatif du précédent « ventre de Paris », ils avaient installé en sous-sol, et sur 7 ha, ce qui autrefois s'élevait à l'air libre. Commerces, restaurants, patinoire, piscine, cinémas, soudain les Parisiens et plus encore les banlieusards déversés par milliers par les lignes du RER, le métro express régional, avaient accès à un centre commercial new look. Pièce maîtresse du dispositif scénique, la place du Forum et son escalier plongeant. Trente ans plus tard, l'ensemble a beaucoup vieilli mais sa fréquentation ne cesse d'augmenter.

Page 43 / Forum des Halles.

Le sous-sol occupé par les commerces, restait à agencer le rez-de-chaussée. On imagina un parc jardin. Sa criante inadéquation au site a conduit la Ville de Paris à relancer un concours d'architecture et d'aménagement urbain, remporté en 2007 par David Mangin. Celui-ci préconise de planter un grand espace vert, une solution écologique vite apparue comme « petit bras ». D'autres équipes internationales, telle celle du Hollandais Rem Koolhaas, faisaient montre de beaucoup plus d'audace. Trop sans doute. Élus parisiens et représentants des commerçants du Forum ont préféré le calme à la fougue. C'est donc avec une désillusion teintée d'inquiétude que l'on « attend de voir ». Sans doute le cœur de Paris méritait-il un projet plus ambitieux.

Page 44 / Plateau Beaubourg.

Véritable paquebot ancré en pleine ville, le Centre Georges-Pompidou fut surnommé à ses débuts « la raffinerie ». Conçu par le duo d'architectes Renzo Piano et Richard Rogers, il domine de sa taille un quartier autrefois populaire et même décrépit. Avant sa construction, le plateau Beaubourg était un lieu urbain à l'abandon livré au parking sauvage et à la prostitution. « Beaubourg » a inauguré un nouveau type de musée, celui du grand hangar dans lequel de vastes espaces peuvent être modulés à la demande.

Page 45 / Le Centre Georges-Pompidou.

Pourrait-on construire un tel bâtiment aujourd'hui ? On en doute tant frilosité patrimoniale et crise économique se conjuguent pour déjouer les audaces architecturales. Dommage, car vilipendé à son ouverture en 1974, le Centre d'art et de culture Georges-Pompidou, surnommé Centre Beaubourg, est devenu une icône des grands musées mondiaux. Son succès est tel qu'il a fallu le rénover plus tôt que prévu. Les populations venues y admirer les expositions d'art moderne comme les publics des différentes manifestations artistiques ou de la bibliothèque avaient mis à mal moquettes et ascenseurs. Telle est la rançon du succès.

Page 46 / Centre Georges-Pompidou.

Installé sur la façade du Centre Georges-Pompidou, l'escalier mécanique, dit encore « la chenille », en constitue l'attraction principale. Par son dynamisme, il anime le bâtiment et permet à ceux qui l'empruntent d'avoir de Paris une succession de vues exceptionnelles. L'idée d'un belvédère en mouvement a permis aux architectes de faire d'un bâtiment par essence statique un lieu d'animation permanente.

Page 47 / Centre Georges-Pompidou.

Au sommet du Centre d'art et de culture Georges-Pompidou, les architectes Dominique Jakob et Brendan MacFarlane ont dessiné les coques rouges et futuristes du restaurant « Georges ». Une terrasse permet encore d'embrasser le paysage parisien d'où émergent les flèches de Notre-Dame et les bulbes des églises et des grands magasins. Par son rôle de vigie, de panorama, le musée « Beaubourg » s'inscrit dans la lignée des plates-formes d'observation que sont les tours de Notre-Dame et le dernier étage de la tour Eiffel.

Ci-contre / La fontaine des Innocents.

La fontaine des Innocents est un point de repère important du quartier des Halles. Elle jouxtait autrefois les célèbres pavillons de Baltard sous lesquels se tenaient les pittoresques marchés de la viande et des légumes. Édifiée entre 1546 et 1549 par Jean Goujon sur un dessin de Pierre Lescot pour célébrer l'entrée dans Paris du roi Henri II, la fontaine s'appuyait alors sur le mur de l'église des Innocents. Elle n'avait donc que trois faces. En 1788, le déplacement hors du centre-ville, pour des raisons de salubrité publique, du cimetière des Innocents, permit de tracer une place au cœur de laquelle on installa la fontaine. Augustin Pajou lui dessina alors une quatrième façade à arcades. En 1858, on la déplaça encore un peu et, à cette occasion, on la hissa sur un piédestal à six vasques sur chaque face. Les décors évoquent des scènes mythologiques de naïades.

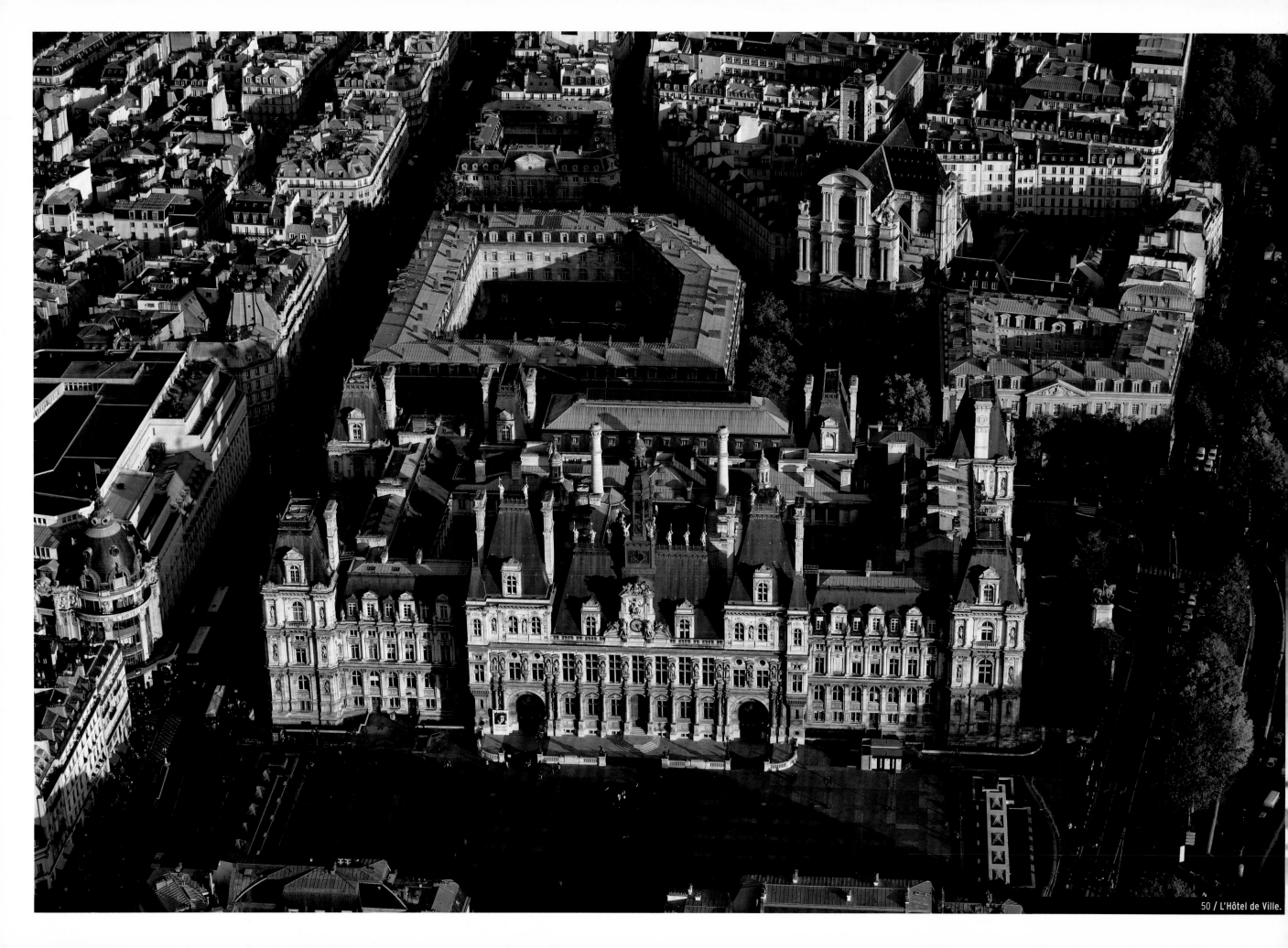

La couleur de Paris

Le Paris des rois du polar, le Paname des Albert Simonin, des Georges Simenon, Léo Malet, celui des Jean Gabin, Bernard Blier ou Jean-Pierre Melville possédait une densité de noir que le ravalement imposé par le ministre de la Culture André Malraux a lessivée. Cette ville anthracite aux murs de houillère, badigeonnée à l'encre de toutes les scories de l'ère industrielle, laquée d'un brouillard gras a disparu. Elle portait en elle les souvenirs de l'entre-deux-guerres, époque charnelle dont « les couleurs étaient celles de la nuit », soutenait le peintre Fernand Léger. *La Fée Électricité*, peinte par Raoul Dufy et aujourd'hui au musée d'Art moderne, frémissait encore de tous ses néons, les tubes fluorescents illuminaient les théâtres, Paris sous son glaçage avait des allures de souliers vernis. Au creux des années 1950, les murs de la capitale palpitaient encore. Dans leurs anfractuosités se lovait une mousse de crasse, une mycose à texture de toile d'araignée. Quiconque caressait un mur de pierre lissait une chevelure. Les brosses industrielles ont eu raison de cette pourriture adulée des poètes. Le vieux Paris a coulé avec ses cheminées d'usine. L'obligation de ravalement datait pourtant de Louis Napoléon Bonaparte. Un décret impérial l'avait instaurée le 26 mars 1852. Il resta lettre morte un siècle durant, puis on ripolina Paris. Aujourd'hui, il n'est plus que le macadam humide pour refléter encore les enseignes des bars louches de Pigalle, de Montmartre ou de la « Bastoche ». La ville était noire, elle est devenue grise. Si Rome est *terra cota*, si Kyoto affiche une translucide pâleur de papier de riz, si Moscou éclate d'une hypnotique blancheur hivernale, Paris fait grise mine et s'en flatte. On trouverait sur ses deux rives la plus belle palette de gris du monde, du blanc plâtreux à l'anthracite. Ce n'est pas faux. Le ciel y est pour beaucoup. Les nuages, « les merveilleux nuages » de Charles Baudelaire, se reflètent dans le regard aveugle des fenêtres, se mirent dans les vaguelettes de la Seine, télescopent la minéralité des pavés. Pourtant, Paris n'a rien d'une cité monochrome. Depuis des lustres, la capitale a ses humeurs. Des phases de maquillage lui ont donné souvent un air rageur. Ne voit-on pas, ces dernières années, le rouge lui venir aux joues, au musée du Quai-Branly par exemple ? Et des architectures d'un vert agressif, comme à la cité de la Mode et du Design, monter à l'assaut de son patrimoine ?

Une révolution est en marche. Autrefois, ce qui définissait l'amateur prétentieux était sa haine de la couleur. Les « chromophobes » ont toujours méprisé la teinture, vil procédé cosmétique utilisé par quelques architectes pour masquer la médiocrité de leurs dessins. Il est vrai que le terme *color* se rattache par son étymologie à *celare*, « masquer ». Or, dans notre culture où la pensée fonctionne par opposition entre profondeur et surface, la couleur passe d'abord pour une simple parure. Des siècles durant, le blanc virginal a donc séduit les esthètes. Du moins en théorie car, en pratique, la couleur fut chez elle à Paris, plus souvent qu'on ne le croit.

Si la couleur est la richesse des pauvres, si « les coloristes sont des poètes épiques », comme l'écrivait Baudelaire, si la couleur est musique du silence, alors, Paris swingue. Le brun du pan de bois, les ocres et les blancs de la pierre et du plâtre, le rouge de la tuile et de la brique, le bleu nuit de l'ardoise, le fer, la fonte, le verre, les mosaïques, la céramique, le béton, puis le gris clair du zinc dansent au fil des rues. Dès le XVIIᵉ siècle, on s'enthousiasma pour le mariage de la brique rouge et de la pierre blanche. La place des Vosges (1605-1612) en est le plus bel exemple. À l'époque, on s'était amouraché de l'architecture flamande. Depuis, cette brique a envahi nos boulevards de ceinture sous l'effet de sa production industrielle. Les cités de HBM (habitations à bon marché) éclatent d'un rouge qui ne se remarque pas, beaucoup moins en tout cas que celui, somptueusement mis en scène à l'Institut d'art et d'archéologie (1922-1932) au 3, rue Michelet, avec ses douze types de briques. Rouge Chine encore la fameuse pagode du 48, rue de Courcelles (1926).

Au XIXᵉ siècle, Jacques Ignace Hittorff couvre Paris de dorures. Le bronze et l'or des colonnes rostrales et des fontaines de la place de la Concorde (1836-1840) en brillent encore. À l'origine, elles reposaient sur un asphalte animé de cailloux noirs et blancs. Le Bataclan (construit par Charles Duval en 1864), café-concert de style chinois sis au boulevard Voltaire, a retrouvé ces dernières années toutes ses couleurs d'antan. Le cirque Napoléon, aujourd'hui cirque d'Hiver-Bouglione, boulevard du Temple, est une merveille de fonds rouge et de frises à la grecque de teinte jaune. Cet idéal gréco-gothique, chimère du XVIIIᵉ siècle, on le trouve en apogée dans la cour du Mûrier de l'École nationale des beaux-arts, rue Bonaparte. Charles Garnier, l'architecte de l'Opéra, fut lui aussi un militant de la couleur. « Je m'imagine le jour où les tons fauves de l'or viendront piqueter les monuments et les constructions de notre Paris. Je m'imagine les tons chauds et harmonieux qui frémiront sous le regard charmé... » Ainsi pour l'Opéra, il emploie six marbres différents et six types de pierres. Il y ajoute du porphyre, du bronze doré, de la fonte peinte. Dix-sept matériaux au total ! Et Charles Garnier d'ajouter : « Ici les rues sont froides, les maisons tristes et régulières et une tache de couleur qui éclate solitairement fait l'effet d'un air de trompette dans la chambre d'un malade. »

L'apparition du vernis antirouille de couleur... rouille a nimbé Paris d'une teinte qui s'élève en majesté à la tour Eiffel. On peut l'apprécier également dans l'extravagante façade de l'immeuble (1905) qui a longtemps abrité *Le Parisien libéré*, 124, rue Réaumur. L'engouement pour les ossatures métalliques a dopé la couleur. Au point de croisement des fers, les architectes ont multiplié les décorations en grès. L'Art nouveau y a déployé ses somptuosités florales et le métropolitain a encensé le vert.

Pourtant, à l'éclectisme et au style nouille succéda dans les années 1930 une glaciation soudaine. Le béton donna un coup d'arrêt à la chromophilie. Soudain, une vague de grisaille se répandit sur Paris. Les Mallet-Stevens, Lurçat, Patou, Moreux, Le Corbusier, Sauvage, Perret, Roux-Spitz, par souci de clarté, se sont faits les chantres d'une architecture de matériaux nets et polis : glace, acier, lino, pierre dure ! La blancheur du Théâtre des Champs-Élysées, signé par les frères Perret en 1913, en fut le signe précurseur. Il fallut attendre les années 1960 pour que le blanc soit de nouveau poussé en touche. Certes, il ne s'agissait pas encore de fluorescences mais plutôt d'une déferlante de noir et blanc pop art, de marron et de beige magnifiée par l'entrée en force du verre fumé. Les bruns, les visons et les verts ont alors repeint nos façades ; les parapets des ponts ont pris des allures de Greta Garbo. Le pont Mirabeau avait chaussé ses lunettes de soleil. De fait, moins qu'enivrée de couleurs, l'architecture de Paris s'est assombrie. La tour Montparnasse (1972) s'est drapée de havane. Qu'elle n'ait jamais fait un tabac relève du paradoxe.

Et puis vint Beaubourg. En soulignant d'une teinte particulière chaque parcours de fluides – jaune pour la climatisation, rouge pour les circulations, vert pour l'eau, bleu pour l'électricité –, Piano et Rogers, les architectes, introduisent l'arc-en-ciel en plein Paris. Depuis, les murs peints, les bâches de ravalement et même les emmaillotages d'immeubles à des fins publicitaires ont le vent en poupe. On continua, en hommage à Le Corbusier, d'ériger des immeubles cubiques et d'une blancheur puriste mais la rigueur n'était plus trop de saison. Le Palais Omnisport de Paris-Bercy (Andrault et Parat, 1984) déroula ses façades obliques de gazon, Bernard Tschumi parsema le parc de la Villette de ses folies rouge sang de taureau (1983-1991). Enfin, Patrick Blanc, botaniste de génie, donna une impulsion décisive à la « végétalisation » de l'architecture. Ses plantes dégoulinent à la Fondation Cartier (architecte Jean Nouvel, boulevard Raspail) comme au musée du Quai-Branly (Jean Nouvel toujours), le vert anglais est en majesté à la Maison des adolescents (Ibos et Vitard) boulevard de Port-Royal, pour ne citer qu'un exemple.

Vert, rouge, orangé... Paris a ces dernières années repris des couleurs. Il n'empêche, le gris qui passionna l'auteur de *Jours tranquilles à Clichy*, l'écrivain Henri Miller, bat toujours aux terrasses des cafés, sur les façades et les trottoirs. Il se reflète dans les vitrines et se mire dans les yeux des femmes même quand elles ont le rose aux joues et les lèvres purpurines. Un cliché ? Assurément, mais que voulez-vous ? Ça, c'est Paris !

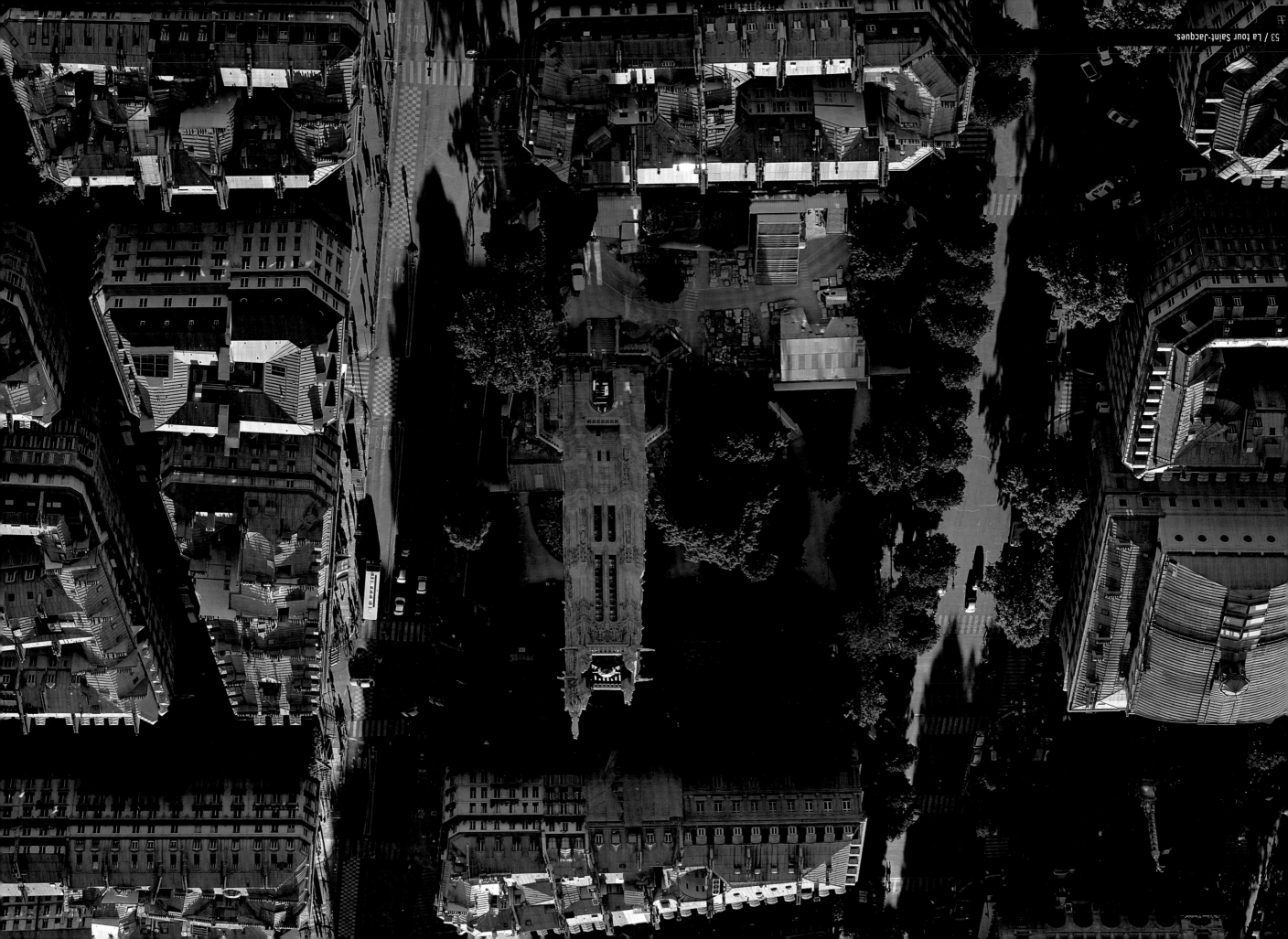

54 / La place des Vosges.

58 / Place de la Bastille.

Page 50 / L'Hôtel de Ville.

Détruit en totalité durant la Commune de Paris en 1871, ce qui entraîna une perte d'archives considérable, l'Hôtel de Ville a été reconstruit à l'identique, du moins pour sa façade de style Renaissance. Aujourd'hui, siège de la mairie de Paris, il est occupé par un grand nombre de fonctionnaires. De quoi inquiéter les pompiers. Car l'édifice fut pensé à une époque où les réglementations de sécurité n'étaient pas aussi drastiques qu'elles le sont devenues. Il a donc fallu aménager quantités d'escaliers de secours et portes coupe-feu... L'Hôtel de Ville est un dédale. Il est situé sur l'ancienne place de Grève, quai sablonneux où l'on déchargeait les marchandises au Moyen Âge. La place était alors un lieu de rassemblement des mécontents et nombre d'émeutes y démarrèrent. L'expression « se mettre en grève » y trouve son origine.

Page 51 / Place de l'Hôtel-de-Ville.

Lors des grands événements sportifs (finales de tournois de tennis, de rugby, coupe du monde de football), la place de l'Hôtel-de-Ville, place de Grève jusqu'en 1803, mute en chaudron populaire et sa pelouse est envahie par des foules de supporters. Des écrans géants de télévision permettent au public de suivre en direct et avec ferveur les matchs. Ces rassemblements riches en cris de joie comme en imprécations sont les échos des mille et une clameurs qui émaillèrent au fil des émeutes, scènes de liesse ou exécutions capitales, le cœur de Paris. Ici fut écartelé Ravaillac, l'assassin du roi Henri IV, ici encore fut utilisée en 1792 et pour la première fois la guillotine. Quand des équipes de football, toujours à égalité à la fin du temps réglementaire, doivent se départager par des tirs au but, le couperet quoique terrible, paraît bien doux au regard de l'histoire.

Page 53 / La tour Saint-Jacques.

« Tour Saint-Jacques : la courber légèrement », voilà ce que suggéraient les surréalistes dans leurs propositions pour « améliorer Paris ». Du moins c'est ce que soutient l'écrivain Georges Perec dans son livre *Espèces d'espaces*. Il est vrai que située comme elle l'est, à la croisée des axes principaux de la ville de Paris, nord-sud (boulevard de Sébastopol), est-ouest (rue de Rivoli), elle occupe une position très « m'as-tu-vu ». Pourtant, blottie dans son petit espace vert, elle disparaît dans la cohue urbaine. Dommage, car ce clocher gothique est un haut lieu des traditions religieuses. Ainsi, il est considéré comme le point de départ des pèlerins en route pour Saint-Jacques-de-Compostelle, en Espagne. La tour est le dernier vestige de l'église Saint-Jacques achevée en 1523 et détruite en 1793. En 1850, on envisagea d'installer à son sommet un phare qui aurait illuminé Paris de sa clarté électrique. Aujourd'hui, une petite station météorologique y enregistre les variations du climat.

Page 54 / La place des Vosges.

Inaugurée en 1612, la place Royale devint place des Vosges en 1848 afin d'honorer le premier département à s'être acquitté de l'impôt durant la Révolution française. Édifiée sur un plan rectangulaire, elle est bordée sur ses quatre côtés d'immeubles de briques rouges à chaînage de pierre calcaire blanche. Les grilles qui entourent le square central ont fait l'objet d'un débat féroce entre férus d'histoire et associations de quartier. Les puristes voulaient les faire disparaître quand les mères de famille en manque d'espaces verts protégés voulaient les conserver. Elles ont été remises en place. Sous les arcades, une porte donne accès à la maison de Victor Hugo ouverte au public.

Page 55 / Place des Vosges.

La place des Vosges rappelle à tous que le luxe, c'est l'espace. La grandeur royale s'exprimait ainsi par des vides ouverts dans le glacis urbain. Autour, se développe le Marais, quartier ô combien adulé des Parisiens ! Qu'on ait songé à le raser pour cause d'insalubrité dans les années 1960 laisse rêveur. Paris a frôlé une catastrophe de plus. Aujourd'hui, un axe se dessine des Halles à la Bastille. Répertoriée comme centre d'une zone touristique, la rue des Francs-Bourgeois, qui débouche sur la place des Vosges, bruit le dimanche du va-et-vient des foules. C'est qu'ici, dans cette artère étroite aux trottoirs périlleux, les magasins ont le droit de demeurer ouverts en dépit du repos dominical. Sur son flanc sud, s'étire la rue des Rosiers où subsistent encore quelques boulangeries et pâtisseries juives. Elles sont prises d'assaut, tant il est vrai que le strudel au pavot est le meilleur ami du pavé.

Page 56 / Le Marais.

Avec son plan Voisin (du nom des automobiles Voisin, parrain de l'opération), l'architecte Le Corbusier avait rêvé de raser tout le centre de Paris pour y édifier une série de tours. Le quartier du Marais qui s'étend autour de la place des Vosges et jusqu'à la Bastille aurait ainsi disparu. Le Marais doit son nom aux crues de la Seine qui le noyaient de temps à autre. Le boulevard Beaumarchais, au premier plan à gauche, est d'ailleurs la trace d'un ancien bras du fleuve. Aujourd'hui, le Marais, mixte d'histoire et de boutiques « branchées », est l'un des quartiers les plus courus de Paris.

Page 57 / L'Opéra et la place de la Bastille.

Ce mastodonte qui écrase en partie la place de la Bastille est l'Opéra. Il est l'œuvre de l'architecte uruguayen Carlos Ott. Ce bâtiment est devenu emblématique des dysfonctionnements des concours d'architecture préservant l'anonymat. À l'origine, les membres du jury, déçus par l'ensemble des projets des divers candidats, portèrent leur dévolu sur celui-ci. Certes, ils le

trouvaient balourd mais, pensant à tort, qu'il était l'œuvre du grand Richard Meier, ils votèrent pour lui, persuadés que l'architecte américain arrangerait tout cela plus tard. Erreur ! Carlos Ott édifia le bâtiment. Le résultat est là. Pesant. Nonobstant, les opéras qu'on y donne y font salle comble.

Page 58 / La place de la Bastille.

Bien niais serait celui qui viendrait à la Bastille y chercher un château. Hélas, des centaines de touristes mal informés accourent ici dans l'espoir d'apercevoir ce qui fut « pris » par les émeutiers le 14 juillet 1789, jour de la fête nationale en France. Non, il ne reste rien. Le château fut démantelé et vendu au poids de ses matériaux. Reste que la place de la Bastille, bombée et vaste, demeure un haut lieu des manifestations revendicatives. Les cortèges qui s'y déploient viennent ainsi réveiller la fibre des sans-culottes qui dévastèrent le symbole de l'oppression royale.

Page 59 / La colonne de Juillet, place de la Bastille.

La colonne de Juillet située place de la Bastille ne commémore pas la prise du château de la Bastille en 1789 mais les journées de Juillet de 1830. Elles aboutirent à la chute de Charles X et de la monarchie absolue. Elle s'élève sur un socle initialement prévu pour accueillir une fontaine en forme d'éléphant dont l'eau aurait jailli de la trompe. Dans *Les Misérables*, Victor Hugo évoque la vie de Gavroche installé dans la maquette qui demeura sur place des décennies. Quand on la rasa, des milliers de rats s'en échappèrent terrorisant le quartier. Haute de 46,3 m, la colonne s'inspire de la colonne Trajane de Rome, son fût en bronze porte inscrit le nom des 615 victimes des journées de Juillet. À son sommet, le génie de la Bastille évoque la liberté brisant ses fers.

Page 60 / En amont du pont de Sully.

En principe, le survol de Paris est interdit à tous les aéronefs civils et militaires. Les hélicoptères peuvent obtenir des autorisations à condition de ne pas descendre en dessous d'une altitude de 200 m, sauf pour atterrir. Il faut en sus que la visibilité soit d'au moins 1 500 m. Des principes de sécurité et de lutte contre la pollution sonore sont à l'origine de ces restrictions. Toutefois, durant le salon de l'aéronautique du Bourget, des avions de démonstration peuvent emprunter les voies aériennes au-dessus de Paris. Enfin le 14 Juillet, le défilé militaire se double d'une parade aérienne. Ce jour-là, il est recommandé de s'installer sur un pont (dans l'île Saint-Louis, c'est idéal). Les chasseurs, les bombardiers, les avions de reconnaissance vous passent alors au-dessus de la tête dans un fracas de rotors. Le spectacle offert aux aviateurs doit être plus beau encore. Ici, une vue plongeante sur la Seine, à droite, la faculté de Jussieu, puis le Jardin des Plantes.

Page 61 / Quai Saint-Bernard.

Les danseurs du quai Saint-Bernard, du jardin Tino Rossi (notre crooner français d'origine corse), perpétuent une tradition parisienne. Paris aime la danse, et ses trottoirs, sa chaussée, les pavés hier, l'asphalte aujourd'hui, ont toujours constitué la plus belle des pistes de danse. Les bals des pompiers du 14 Juillet attirent dans les casernes des foules de nostalgiques d'un Paris de guinguettes où marlous et grisettes tournaient jusqu'au petit matin. Même les actuelles Gay Pride et techno-parades perpétuent, sur un rythme certes plus endiablé, l'amour de la danse en plein air. Le bal populaire a toujours à Paris un petit air de Carmagnole. Dans les pas des valseurs et dans les volutes de l'accordéon, remixé rap s'il le faut, s'infiltrent les sifflets des râleurs, les appels à l'insurrection des Pétroleuses. Dans sa bonhomie, la danse parisienne est frondeuse et canaille. Ça, c'est Paris !

Ci-contre / Université Paris VI et VII, Jussieu.

Installée sur l'ancienne halle aux vins de Jussieu, l'université Paris VI et VII, plus communément baptisée Jussieu, impose son architecture moderne avec un brutalisme certain. Édifiée sur un plan conçu par Édouard Albert et inaugurée en 1959, elle s'est vu adjoindre une tour centrale assez disgracieuse. Elle a subi ces dernières années quelques retouches. Les architectes de Périphériques y ont ajouté un bâtiment où les couleurs citriques orange, jaune, rouge éclatent (côté est). C'est pourtant son « désamiantage » qui a défrayé la chronique. L'ensemble du bâtiment est en effet bourré de cette substance cancérigène et les travaux entrepris pour l'en débarrasser sont colossaux en termes d'efforts comme de coûts. Sa présence au cœur de Paris a valu au quartier d'être, en 1968 et après, le site de nombreux affrontements entre policiers et étudiants. L'ensemble est flanqué côté Seine par l'IMA, l'Institut du monde arabe, œuvre de Jean Nouvel et Architecture Studio.

64 / La singerie, Jardin des Plantes.

Page 64 / La singerie, Jardin des Plantes.
La Révolution française fut l'occasion de transférer
la ménagerie royale du château de Versailles au Jardin
des Plantes. On y mena aussi les animaux des diverses
ménageries privées que l'on trouvait en France. C'est ainsi
qu'en 1826, les Parisiens purent admirer leur première girafe.
Durant les événements sanglants de la Commune (1871),
les populations affamées dévorèrent tous les animaux.
De nombreux bâtiments ont été érigés dans le parc au cours
du XIXe siècle, la singerie, les maisons dévolues aux rapaces, aux
reptiles, la fosse aux ours. À droite de la grande galerie de
l'Évolution, s'étend le mystérieux carré Buffon, un jardin où
croît toujours le platane d'Orient qui y fut planté en 1785.
L'une des expériences les plus étranges qu'il soit possible de
vivre à Paris consiste à longer le mur du Jardin des Plantes,
parallèle à la Seine, et d'y humer l'odeur des fauves.

Page 65 / Jardin des Plantes.
Au cœur de Paris, le Jardin des Plantes est une respiration
inespérée. Vaste quadrilatère voué aux cultures botaniques,
il concentre diverses plantations, une roseraie et des serres
chaudes dignes des plus belles moiteurs tropicales. Le jardin
est clos par la galerie de l'Évolution magiquement restaurée
il y a quelques années. On peut y découvrir, entre autres
merveilles, un squelette de dinosaure et divers bocaux certes
peu ragoûtants mais pour finir assez comiques. Créé en 1635,
le jardin du Roi fut placé un temps sous la gouvernance de
Buffon. À la Révolution française, les savants réunis en
assemblée décidèrent d'y installer un muséum d'histoire
naturelle. Rétif de la Bretonne décrit dans Les Nuits de Paris
les scènes de libertinage, fréquentes au XVIIIe siècle, qui
se déroulaient dans le parc à la nuit tombée. La bestialité de
ces parties fines souffla peut-être à Bernardin de Saint-Pierre
l'idée de créer en 1793, sur un site attenant, la ménagerie
qui se visite toujours.

Page 66 / La Grande Mosquée de Paris.
La Grande Mosquée de Paris implantée derrière le Jardin des
Plantes est la plus importante de France. Son minaret culmine
à 33 m de hauteur. Elle fut inaugurée en 1926. De style hispano-
mauresque, elle visait à rendre hommage à l'engagement
des soldats musulmans dans la Grande Guerre. Près de 70 000
d'entre eux y périrent dont 28 000 à Verdun. Aujourd'hui,
elle est dotée, en sus de ses bâtiments cultuels, d'un
restaurant et d'un café. Il faut y déguster un thé à la menthe
et des loukoums dans le petit jardin en été, et dans la grande
salle intérieure en hiver. Le vendredi, le quartier est animé par
les fidèles se rendant à la prière. Son administration fait l'objet
de débats parfois vifs entre les différentes communautés
musulmanes qui cherchent à en prendre la direction.

Page 67 / Saint-Étienne-du-Mont et le lycée Henri-IV.
Avec le lycée Louis-le-Grand (boulevard Saint-Michel)
son rival, le lycée Henri-IV a la réputation de conduire
les élèves jusqu'aux grandes écoles. Ses résultats sont
impressionnants. Lycée d'élite, il bénéficie en plus d'un cadre
majestueux. Situé près du quartier Mouffetard, il est bordé
par le Panthéon et l'église Saint-Étienne-du-Mont dont l'axe
courbe est remarquable. Intégré autrefois à l'abbaye de
Sainte-Geneviève, le lycée en a conservé tout un patrimoine :
le clocher Clovis, le réfectoire, le cabinet des Médailles.
Henri Bergson, Fernand Braudel et Georges Pompidou y ont
été professeurs. Avec la Sorbonne, la bibliothèque Sainte-
Geneviève et la faculté de Jussieu, le lycée Henri-IV perpétue
la tradition du quartier Latin dévolu aux universités
depuis le Moyen Âge.

Page 68 / Le Panthéon.
Le Panthéon jouit d'un emplacement exceptionnel. Situé en
haut d'une colline, il domine la rue Soufflot et plus bas
le jardin du Luxembourg. Sa façade est flanquée par deux
édifices qui, bien qu'asymétriques, l'encadrent parfaitement :
la mairie du Ve arrondissement et les annexes des facultés
Panthéon-Sorbonne et Panthéon-Assas. Au sud, le long
bâtiment visible sur la photo est la bibliothèque Sainte-
Geneviève édifiée par Henri Labrouste en 1851. Accessible
au public, elle mérite une visite, ne serait-ce que pour
contempler la nef de sa salle de lecture. Accessoirement,
on peut y consulter 2 millions d'ouvrages.

Page 69 / Le Panthéon.
Chef-d'œuvre de Jacques-Germain Soufflot, le Panthéon est
un édifice de style néo-classique. Il fut construit à l'origine
pour abriter la châsse de Sainte-Geneviève qui selon la
tradition aurait, par ses prières, sauvé Paris des Huns d'Attila
en 451. Le bâtiment fut remanié par Quatremère de Quincy
qui le transforma jusqu'à lui donner son aspect de panthéon,
un monument laïc dédié à la mémoire des « grands hommes »
(seules deux femmes y sont inhumées, dont Marie Curie).
L'édifice est redevenu une église en 1821 sous Louis XVIII et
ensuite sous Charles X. Neuf ans plus tard, il retrouvait
son statut de « temple de la Gloire ».

Page 70 / Le Val-de-Grâce.
La construction du Val-de-Grâce, chef-d'œuvre inspiré de
la Contre-Réforme, fut hautement tumultueuse. François
Mansart, l'architecte choisi par Anne d'Autriche, en débuta
les travaux en 1645 mais renvoyé peu après en raison
des difficultés rencontrées sur le chantier. Le terrain sous-miné
par des carrières se révéla instable et sa consolidation
entraîna de forts surcoûts. Achevé en 1667, l'édifice cultuel est

devenu un hôpital militaire à la fin du XVIIIe siècle. Il abrite
aujourd'hui les archives de la bibliothèque centrale
des armées. Le bâtiment plus récent en forme de Y, construit
en 1979 sur l'ancien potager des bénédictins, est d'ailleurs
consacré au service de Santé des armées. Le Val-de-Grâce est
encore réputé pour son orgue et son baldaquin. Sur la photo,
l'église coiffée de son dôme est clairement visible entre
les deux trouées haussmanniennes : la rue Claude-Bernard
à gauche et le boulevard de Port-Royal à droite.

Page 71 / Jardin, abbaye du Val-de-Grâce.
Ce beau jardin dissimulé derrière les hauts murs de l'ancienne
abbaye du Val-de-Grâce est à l'image de tout le quartier. Riche
autrefois en congrégations religieuses, le secteur abonde
aujourd'hui encore en espaces verts, en petits enclos
paradisiaques. Ces édens pour happy few, seule
la photographie aérienne les révèle. Boulevard Arago
se dissimule ainsi la très belle Cité fleurie, un ensemble
d'ateliers d'artistes édifié en 1880 et qui vit passer le peintre
Modigliani. Autour du square Croulebarbe, les couvents de
dominicains voisinent avec la bibliothèque du Saulchoir.
À l'angle du faubourg Saint-Jacques et du boulevard Arago,
on peut encore entr'apercevoir le très beau parc de la Société
des gens de lettres créée en 1880. Derrière les murs et
les grilles, Paris respire.

Page 72 / Le jardin du Luxembourg.
Le jardin du Luxembourg, alias le « Luco » pour les intimes, est
un espace privé ouvert au public. Il est en effet propriété du
Sénat dont le bâtiment est situé au nord. Le musée du
Luxembourg et l'École des mines le bordent aussi. Lieu
traditionnel de promenades en solitaire et en famille, le Luco
s'organise autour d'un vaste bassin dans lequel les enfants
viennent faire voguer leurs bateaux miniatures, à voile et
à moteur. Hormis les poneys, les ruches, les cours de tennis
et surtout le théâtre de Guignol, le parc abrite une légion
de statues d'hommes illustres (Flaubert, Chopin, Baudelaire,
Beethoven, Mendès France) et même une ébauche originale de
la Statue de la Liberté de Bartholdi. Dans le kiosque à musique,
se donnent encore des concerts, comme autrefois. Depuis
l'an 2000, les grilles du jardin du Luxembourg servent
de cimaises à des expositions d'ethno-photographie.
La première d'entre elles fut « La Terre vue du ciel » signée
par... Yann Arthus-Bertrand.

Page 73 / Jardin du Luxembourg.
Occupant 23 ha, le jardin du Luxembourg se divise en deux
parties, l'une articulée autour d'un parc à la française avec
plantations alignées et perspectives, l'autre à l'anglaise
avec faux chaos naturel. On y trouve aussi un conservatoire

de pomologie qui collectionne les nouvelles et les anciennes
variétés de ce fruit. La fontaine Médicis rend hommage à
Marie de Médicis, la fondatrice du jardin. Les percées réalisées
sous Haussmann ont singulièrement réduit les dimensions du
parc. La destruction de la pépinière, dont les terrains furent
lotis, suscita une indignation générale. Une pétition recueillit
12 000 signatures, en vain. Aujourd'hui, le jardin du
Luxembourg, bordé par quelques bâtiments d'exception
comme l'Institut d'art et d'archéologie en briques rouges
(3, rue Michelet), est un poumon pour le quartier Latin.
Ses dénivelés, ses dédales, ses futaies, ses parties si diverses
en font un haut lieu de la promenade romantique.

Ci-contre / Sur les marches du Panthéon.
Ô toi lecteur qui contemples les emmarchements du Panthéon,
nécropole des grands hommes, peut-être gagneras-tu un jour
le privilège insigne d'y faire ton entrée. Il te faudra pour cela
avoir beaucoup donné au pays, t'être affirmé à l'égal des plus
valeureux et des plus talentueux de ses enfants, tels Mirabeau,
Voltaire, Victor Hugo, Émile Zola, Léon Gambetta, Jean Jaurès,
Victor Schoelcher qui abolit définitivement l'esclavage, le
résistant Jean Moulin dont la dépouille entra portée par la
voix d'outre-tombe d'André Malraux, Marie et Pierre Curie,
Alexandre Dumas... Et encore, il faudra que nul ne s'y oppose,
comme cela fut le cas pour quelques célébrités choisies pour
descendre dans la crypte, et qui restent inhumées ici ou là en
raison de diverses dispositions testamentaires et controversées.
René Descartes, Romain Roland, Charles Péguy durent en être.
Leur place est libre.

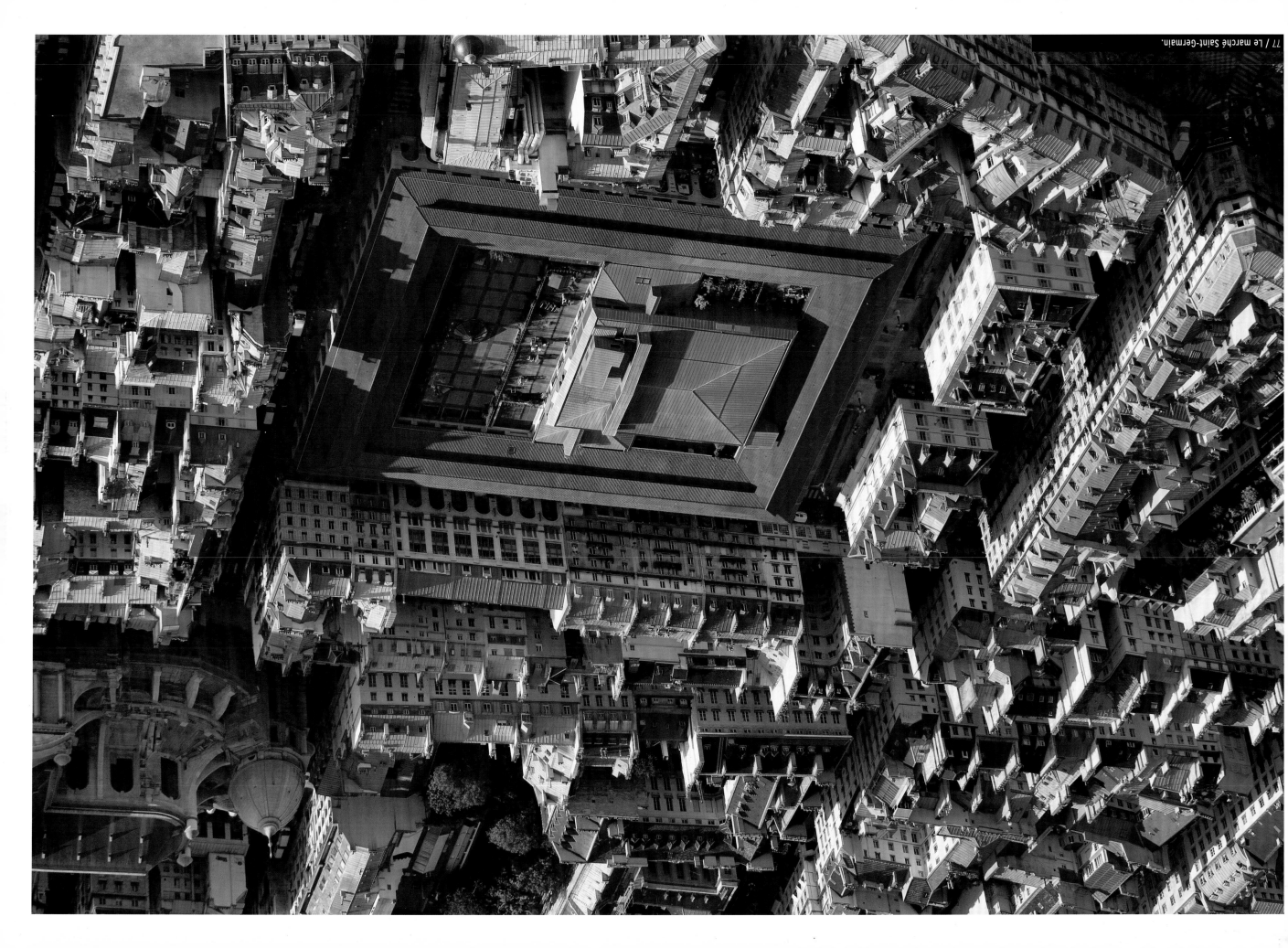

78 / Fontaine, place Saint-Sulpice.

Page 76 / Le théâtre de l'Odéon.
Le théâtre de l'Odéon est de parfaite facture classique. Édifié peu de temps avant la Révolution française, il fut inauguré en 1782. Sa façade inspirée des villas de Palladio en Italie est d'une sobriété pugnace. Elle contribue à donner à la place tout entière son charme « Ancien Régime », mélange de calme et de sobres proportions. Ses sous-sols sont truffés de souterrains dont certains se prolongent jusqu'au boulevard Saint-Michel. Haut lieu du théâtre, l'Odéon est l'une des six scènes dites nationales. Il fut également le théâtre de la célèbre occupation menée par les étudiants et les intellectuels en mai 1968. Parmi les nombreux orateurs qui se succédèrent jour après jour à la tribune improvisée sur la scène, on compta même Salvador Dali qui, loin des discours révolutionnaires enflammés, se contenta d'une courte déclaration pleine de pitrerie.

Page 77 / Le marché Saint-Germain.
Enserré dans la trame pré-haussmannienne du quartier, le marché Saint-Germain tranche par sa taille sur le lacis des ruelles qui l'entourent. Bâti sur ce qui était autrefois le site de la très fameuse Foire Saint-Germain, il était hier trois fois plus grand qu'aujourd'hui. Le bâtiment actuel fut érigé par Blondel et Lusson en 1813. Sa rénovation a suscité de nombreuses polémiques. Divers projets d'architecture se sont succédé, tous mis à mal par l'opposition des riverains désireux de préserver les arcades et la volumétrie de l'ensemble. Suite à de coûteux travaux, le marché, dévolu aujourd'hui en grande partie aux commerces de vêtements « tendance », a su intégrer une piscine en sous-sol. Une petite partie du bâtiment accueille encore quelques commerces de bouche. Une brocante de poche s'installe de temps en temps sous ses arcades.

Page 78 / Fontaine, place Saint-Sulpice.
La place Saint-Sulpice s'orne d'une très belle fontaine signée en 1847 par l'architecte Louis Visconti. On peut y voir statufiés, entre autres, les évêques prédicateurs Bossuet et Fénelon. Elle porte le surnom de « place des quatre points cardinaux », par dérision, puisque aucun des quatre évêques qui y montent la garde ne fut élevé à cette distinction par le pape. En face de l'église, la mairie du VIᵉ arrondissement dresse sa façade républicaine et laïque. La place est régulièrement occupée par des étals de bouquinistes ou des brocanteurs de luxe.

Page 79 / L'église Saint-Sulpice.
Étrange destin que celui de l'église Saint-Sulpice. Pour avoir été utilisée comme fond de décor du best-seller mondial *Da Vinci Code*, de l'auteur américain Dan Brown, elle s'est transformée en lieu de pèlerinage ésotérique. Des foules de lecteurs touristes viennent, ouvrage en main, humer l'atmosphère étrange du roman, chercher des signes de la paternité supposée du Christ. L'église compte en vérité d'authentiques chefs-d'œuvre, des bénitiers dus au sculpteur Pigalle et des fresques de Delacroix. Sa façade classique précède une église de style jésuite. Elle est l'œuvre de Giovanni Niccolo Servandoni.

Page 80 / En amont de Saint-Germain-des-Prés.
Parallèle à la Seine, voici la grande trouée du boulevard Saint-Germain réalisée sous l'égide du baron Haussmann. Chacun perçoit ici combien l'urbanisme nouveau a préservé l'ancien. Deux Paris s'épaulent. Ce secteur était autrefois réservé aux études. Nombre de grandes écoles, de collèges et de lycées y sont toujours domiciliés, comme la faculté de Médecine, rue Racine, ou la Sorbonne, boulevard Saint-Michel. Cette image montre aussi l'uniformité basse de l'architecture parisienne. Mis à part les clochers de quelques églises et de la cathédrale Notre-Dame, aucune tour, aucun gratte-ciel. Les opposants à une architecture de grande hauteur trouvent dans cette réalité leur meilleur argument, mais la ville confite s'essouffle, tend année après année à se muer un peu plus en une ville musée. La beauté traditionnelle de Paris y conserve ce que son dynamisme y perd.

Page 81 / Saint-Germain-des-Prés.
L'église Saint-Germain se dresse au cœur de ce que fut le quartier béni de l'existentialisme sartrien. Dans l'immédiate après-guerre, les chanteurs à texte comme Mouloudji, Serge Reggiani, Juliette Gréco côtoyaient sur les banquettes des mythiques cafés de Flore et des Deux-Magots, Jean-Paul Sartre, Simone de Beauvoir, Albert Camus... L'ennui, l'absurde, le néant, l'aliénation, l'engagement des intellectuels, tout se débattait dans les volutes de cigarettes. Dès 1933, la création du Prix des Deux-Magots contribua à drainer à Saint-Germain-des-Prés toute la fine fleur de la création française : Elsa Triolet, André Gide, Jean Giraudoux, les surréalistes sous l'égide d'André Breton, des peintres comme Fernand Léger ou Picasso. Par la suite, le quartier devint synonyme de nuits trépidantes. Les boîtes de jazz consacrèrent le be-bop. Paris swinguait. Aujourd'hui, les magasins de vêtements de luxe ont chassé les librairies, mais quelques-unes demeurent, de même que les brasseries.

Page 82 / L'Institut de France.
Souvent réduit à l'Académie française, créée en 1635 par Richelieu, l'Institut de France regroupe en vérité, et depuis 1795, cinq institutions vénérables. En sus de l'Académie française, il compte l'Académie des beaux-arts, l'Académie des inscriptions et belles-lettres, l'Académie des sciences et l'Académie des sciences morales et politiques ; en tout, plus de 700 membres qui, à tour de rôle, se réunissent sous la Coupole. Les « immortels » sont les quarante membres élus par leurs pairs à l'Académie française. Ils doivent cette appellation un tantinet mégalomane à la devise « À l'immortalité » figurant sur le sceau donné par Richelieu à l'Académie et qui concerne la langue française. Grâce à la longévité de l'ethnologue et anthropologue Claude Lévy-Strauss, pour la première fois en 2009, l'Académie compte un centenaire dans ses rangs.

Page 83 / Le pont des Arts.
Initialement érigé en 1804, le pont des Arts fut le premier pont en fer de Paris. Endommagé par des bombardements puis par diverses collisions de bateaux, il fut fermé à la circulation en 1979 et reconstruit à l'identique. Le nombre de ces arches a été ramené de 9 à 7, comme au pont Neuf.

Ci-contre / Ponts.
Paris ne serait rien sans l'enfilade mirifique de ses ponts. Chacun d'entre eux offre aux promeneurs un belvédère sur la Seine. La largeur idéale du fleuve permet au piéton de glisser d'une rive à l'autre sans douleur, ses quais sont des prosceniums, ses voies sur berge, axes *intra-muros*, offrent à l'automobiliste un panoramique de premier choix. Longtemps, les ponts de Paris titillèrent l'imaginaire des artistes. De Guillaume Apollinaire à Georges Brassens, on les a chantés. Ils semblaient si accueillants qu'une expression s'est forgée : « dormir sous les ponts ». Le clochard céleste, l'ancêtre du SDF (le sans domicile fixe), le bon gars rebelle et va-nu-pieds, par choix croyait-on plus que par nécessité, aimait à déguster son kil de rouge sous les piles du pont d'Austerlitz. Il y avait dans l'expression comme un soupçon de campagne ; dormir sous les ponts, c'était encore rêver à la belle étoile. Admettons. Une heure abandonnée au fil de la Seine en été, juste alangui sous l'ombre aimable d'un pilier de pierre, vaut bien des excursions lointaines.

Page 86 / Le musée d'Orsay.

Les locomotives à vapeur exigeaient des gares qu'elles soient couvertes par de très hautes verrières afin d'éviter l'asphyxie des passagers. La gare d'Orsay édifiée en 1900 par Victor Laloux en fut donc pourvue et cela permit, bien plus tard, à l'architecte Gae Gaulenti de concevoir dans ces murs un musée du XIXe siècle arrosé de lumière. Toutefois, certains jugent son intervention trop présente, un tantinet « mussolinienne ». Reste que la gare désaffectée, transformée en musée en 1986, est devenue une pièce essentielle du dispositif muséal parisien et un témoignage du patrimoine ferroviaire d'avant l'électricité. Les collections de peinture et de sculpture du musée sont exceptionnelles. On peut y voir entre autres l'*Olympia* de Manet et la *Naissance du monde* de Courbet.

Page 87 / Parvis, Musée d'Orsay.

Une large partie du musée d'Orsay consacré au XIXe siècle est dédiée aux collections de sculptures. On peut y voir, entre autres, des œuvres de Rodin et de Camille Claudel. À l'extérieur, sur le parvis Bellechasse, dû à Guy de Rougemont, se dresse un groupe de six sculptures d'Aimé Millet. Elles symbolisent les six continents présentés sous les traits de six femmes. Créées pour le palais du Trocadéro à l'occasion de l'Exposition universelle de 1878, elles gisaient dans une décharge publique de la ville de Nantes depuis 1963. Le musée d'Orsay les a échangées contre un tableau de Sisley, offert au musée des Beaux-Arts de Nantes. Plus étonnantes sans doute sont les trois sculptures animalières, le *Rhinocéros*, le *Jeune Éléphant pris au piège* et le *Cheval à la herse*, trois œuvres en fonte de fer, de Jacquemart, Fremiet et Rouillard, réalisées elles aussi pour l'Exposition universelle de 1878. Elles confèrent au musée d'Orsay un fumet de brousse évocateur d'un siècle d'expéditions coloniales.

Page 88 / Le Palais-Bourbon.

Le Palais-Bourbon, l'Assemblée nationale, fut autrefois le palais de la famille des Bourbons. On en voit ici la cour sise à l'arrière. Édifié au début du XVIIIe siècle, il fut modifié sous Napoléon Ier. L'Empereur fit bâtir la façade grecque aux douze colonnes pour faire pendant à l'église de la Madeleine, édifiée dans un style identique de l'autre côté de la Seine. L'effet de miroir entre les deux bâtiments, renforcé par la symétrie des édifices de la place de la Concorde (ministère de la Marine et hôtel Crillon), compose un décor particulièrement imposant. Le fronton de l'Assemblée nationale a subi de multiples modifications au gré des changements de régimes. Au départ, il représentait Napoléon à cheval offrant aux parlementaires les drapeaux saisis à Austerlitz. Aujourd'hui, on peut y voir la France drapée à l'antique, debout entre la Force et la Justice, appelant les élites à confectionner des lois.

Page 89 / L'Assemblée nationale, Palais-Bourbon.

La présidence du Parlement, le « perchoir » comme on l'appelle avec légèreté, est un poste suffisamment convoité pour que son attribution soit à chaque élection l'objet de sourdes tractations. Les parlementaires appelés à voter sont répartis dans l'hémicycle de la gauche à la droite. Cette disposition date de la Révolution française. Lors de la Constituante, les élus se placèrent de cette manière. On distingue ici le fronton de l'Assemblée nationale, ses cours intérieures dont celle de l'hôtel de Lassay, édifice rattaché au Palais-Bourbon et résidence du président de l'Assemblée. Plus à l'ouest, au fil de la Seine, le ministère des Affaires étrangères, également appelé « Quai d'Orsay », jouxte l'Assemblée.

Page 90 / Le musée Rodin.

À l'écart des Invalides, juste au début de la rue de Varenne, le musée Rodin présente ses sculptures, et ce, depuis 1919. Il reçoit plus de 700 000 visiteurs par an, ce qui est considérable. Il est vrai que les collections sont elles-mêmes gargantuesques : 6 600 sculptures, 8 000 photographies. Une partie de l'œuvre de Rodin est présentée dans l'extension du musée situé à Meudon, aux portes de la capitale. Entre cour et jardin, on peut découvrir quelques pièces maîtresses comme *Le Penseur* ou *Les Bourgeois de Calais*.

Page 91 / Les Invalides.

Les gueules-cassées, les victimes des conflits, des bombardements et des canonnades n'ont pas toutes eu la chance d'être recueillies aux Invalides. L'établissement fondé en 1674 à la demande du roi Louis XIV avait pour but de soulager la misère des soldats auxquels la nation devait tant. Aujourd'hui encore, cet ensemble de cours et de bâtiments abrite des pensionnaires. Cependant, les Invalides sont surtout connus pour le musée de l'Armée qui en occupe une très grande partie. Les collections d'armes, de plans-relief, d'armures, de trophées militaires, les explications pédagogiques des batailles napoléoniennes s'offrent aux visiteurs qui en parcourent les salles. L'hôtel des Invalides tire encore une partie de sa grâce du splendide terre-plein qui le relie à la Seine.

Page 92 / Les Invalides.

De nombreux militaires de haut rang reposent dans la cathédrale Saint-Louis-des-Invalides. Le général François Séverin Marceau, Claude Joseph Rouget de Lisle, l'auteur de *La Marseillaise*, le cœur du maréchal Sébastien Le Prestre de Vauban et celui de Théophile Malo Corret de La Tour d'Auvergne... Toutefois, le locataire le plus célèbre du lieu est sans conteste l'empereur Napoléon. Décédé en 1821, il y fut inhumé en 1840. Ses cendres ont été placées dans un sarcophage en quartzite rouge, lui-même hissé sur un socle en marbre noir. L'ensemble est installé dans une crypte au centre de la chapelle Saint-Louis, juste sous le dôme. Sans accueillir la dépouille du général de Gaulle, les Invalides se sont dotés récemment d'un musée destiné à lui rendre hommage : le Mémorial Charles-de-Gaulle. Un parcours historique et circulaire, agrémenté de tous les aménagements techniques interactifs, en retrace l'épopée. Aux Invalides, l'histoire est toujours extra-large.

Page 93 / Dôme de Saint-Louis-des-Invalides.

La cathédrale Saint-Louis-des-Invalides située sur l'arrière de l'hôtel des Invalides (avenue de Breteuil) fut érigée par Jules Hardouin-Mansart et achevée en 1706. Son dôme impressionnant est l'un des douze dômes édifiés dans Paris au XVIIe siècle (avec notamment ceux du Val-de-Grâce, de Saint-Louis de la Salpêtrière ou la « coupole » de l'Académie française...). Un engouement baroque saisit la capitale à l'époque du Grand Siècle et Paris voulut ressembler à la Rome des papes régnants. Le plan de la cathédrale, d'un grand classicisme, est simple : une croix grecque inscrite dans un carré. Ses façades sont à deux ordres, surmontées d'un fronton. Le dôme s'appuie sur une série d'ouvertures, de verrières. Il est lui-même chapeauté par un lanterneau dans le style de Francesco Borromini. Une tradition y perdure, celle de suspendre les oriflammes et les drapeaux saisis à l'ennemi.

Ci-contre / Esplanade des Invalides.

Longue de 500 m, l'esplanade des Invalides s'étend de l'hôtel des Invalides à la Seine. Elle conduit tout droit au pont Alexandre-III dont les statues dorées sont comme un écho du dôme de Saint-Louis-des-Invalides. Ce vaste espace dégagé fut un champ de manœuvres militaires jusqu'en 1863. Depuis, l'esplanade est utilisée comme un lieu de rassemblement lors d'événements exceptionnels : 260 000 personnes s'y sont réunies pour écouter le pape Benoît XVI en 2008. Hors ces moments d'intense célébration, les pelouses servent de terrain de football improvisé et de lieu de détente pour les amateurs de bronzage urbain.

Paris Babel, Paris la belle

Le propre d'une ville monde est d'abriter l'univers, de faire écho à la Babel moderne, d'apprécier la dynamique du métissage. Car, comme les dynamos, la ville du XXIe siècle se fortifie de ses frottements, elle recharge ses batteries au rythme des étincelles. Longtemps, la société française, alliée au projet égalitaire, a jeté un voile pudique sur ses quartiers d'immigrés. Au mieux, la bienséance républicaine s'amusait d'un soupçon de pittoresque, s'abîmait dans la contemplation d'un Paris exotique. Aujourd'hui, à l'apogée des migrations transcontinentales, Paris peut regarder en face sa structuration communautaire et même s'enorgueillir d'accueillir sur son sol plus de deux cents nationalités. Que s'épanouissent dans ses quartiers des enclaves ethniques ouvertes aux autres, voilà la preuve d'une inscription réussie dans l'ère contemporaine. Londres, New York, Berlin, Istanbul et Shanghai font de même.

Depuis l'engagement français dans l'aventure coloniale, Paris aimante les foules. Les premières vagues d'immigrés sont arrivées d'Afrique et d'Asie. La guerre de 14-18, dévoreuse d'hommes, a amplifié cet appel. Par milliers, Indochinois du Tonkin et Chinois de l'empire du Milieu sont venus grossir les rangs de l'armée française. En 1920, deux mille à trois mille d'entre eux décidèrent de se fixer dans la capitale. Ils s'installèrent dans le premier quartier « jaune » de Paris, autour de la gare de Lyon. Cette modeste implantation aujourd'hui fait sourire. Un siècle plus tard, Paris compte non pas un mais deux, voire trois « Chinatown ». Déjà très présents dans les ateliers de maroquinerie installés dans des cours du Marais, les Chinois ont peu à peu occupé tout le secteur de la bonneterie étalé au fil des rues Sedaine et Popincourt dans le XIe arrondissement. Ils y ont pris les places tenues hier par les Juifs séfarades. Après avoir débordé sur les rues adjacentes, les grossistes de prêt-à-porter se multiplient maintenant tout au long du boulevard Voltaire en direction de la place de la République. La population locale s'en inquiète mais pour ne pas être suspectée de racisme, elle a dénoncé non pas l'emprise des commerçants chinois sur leur quartier mais « le développement de la mono activité textile ». Ces tiraillements communautaires ne peuvent rien contre le dynamisme des Asiatiques dont l'influence est partout sensible. Après avoir investi la profession de chauffeur de taxi, ils reprennent peu à peu les bars-tabacs. Pour mesurer la vitalité de cette communauté, il faut se rendre dans le XIIIe arrondissement, entre les avenues d'Ivry et de Choisy. Là, les Asiatiques constituent déjà 7 % de la population de l'arrondissement. Grandes surfaces, restaurants innombrables, pâtisseries... Le nouvel an chinois y est fêté en très grande pompe et le défilé traditionnel attire tous ceux que n'effraient pas les pétarades.

Le troisième quartier chinois grimpe à l'assaut de la colline de Belleville. Ce secteur de Paris, longtemps habité par des familles modestes, immigrés juifs de l'Europe de l'Est, casquettiers et tailleurs, avait connu une première mue dans les années 1960, quand la main-d'œuvre maghrébine a débarqué en masse pour intégrer les chaînes de montage des usines françaises. Juifs, Arabes, Chinois se sont ainsi succédé à Belleville.

Dans d'autres quartiers, à Barbès, à la Goutte-d'Or, se concentrent maintenant Algériens, Marocains, Tunisiens. Et, depuis quelques années, les candidats à l'émigration du Sud Sahara sont venus s'ajouter aux premières montées africaines. Les Noirs du Mali, du Sénégal y sont représentés en nombre. Autour du métro Château-Rouge dans le XIXe arrondissement, les boutiques de pagnes, de boubous, de riche basin et de fruits exotiques attirent Africains et Antillais. Ces derniers fréquentent aussi quelques épiceries sur le boulevard de Belleville.

La communauté japonaise est, elle, bien plus modeste. Ses restaurants s'agglutinent autour de l'Opéra et les épiceries, y compris coréennes, constituent un but de promenade assez dépaysant, comme les restaurants regroupés autour de la rue Sainte-Anne.

Un autre quartier asiatique, plus récent, prospère du côté de la Chapelle (dans le XIXe arrondissement). Là, entre le métro aérien et la gare du Nord s'étend « Little Jaffna ». Indiens, Pakistanais, Sri-Lankais et surtout Tamouls se mêlent au fil des épiceries, des restaurants, des boutiques d'audio, de vidéo et de prêt-à-porter où les saris enluminent les vitrines. Entre le boulevard de Strasbourg et la rue du Faubourg-Saint-Denis, le passage Brady, avec ses restaurants et ses boutiques débordantes d'épices, condense sur une centaine de mètres l'esprit XIXe siècle des passages couverts et l'exubérance du sous-continent indien. Au débouché de ce boyau, débute le quartier turc et kurde de la capitale. Là, dans les cours et les passages, entre la rue d'Enghien et celle des Petites-Écuries, les cafés et les salons de thé arrachés au Bosphore retentissent des dominos claqués sur les tables par des clients à la barbe drue.

Le traditionnel quartier juif de la rue des Rosiers, dans le Marais, demeure mais, ces dernières années, il a fait l'objet d'un lifting tendance « bobo » (bourgeois bohème). Ce nouveau « look branché » a fait grincer bien des dents. Peu à peu, les boulangeries et les épiceries cèdent devant les boutiques de jeans, et la connexion entre le quartier commerçant des Halles et celui « mode » de la Bastille est en route. D'autres secteurs de la capitale, comme le XIXe arrondissement, des Buttes-Chaumont à la Villette, voient se développer une forte communauté de juifs religieux. La cohabitation entre juifs et musulmans y est parfois difficile.

À la fin du XIXe siècle, l'immigration italienne avait déjà profondément transformé le paysage parisien. La victoire du général Franco, en 1936, poussa vers la France une foule de ressortissants républicains espagnols.

Bientôt, leur contingent fut rattrapé et doublé par celui des Portugais qui fuyaient, eux, la dictature de Salazar et la pauvreté. Parmi les gardiens d'immeubles parisiens qui perdurent, très nombreux sont aujourd'hui ceux qui sont originaires de Porto, Braga ou Lisbonne, et la victoire de l'équipe de football du Portugal est toujours saluée, à Paris, par des concerts de Klaxon.

Les Arméniens sont installés principalement dans le IXe arrondissement de Paris. Ils y ont leurs quelques épiceries où le client en quête de loukoums ou du cognac d'Erevan plonge soudain en arrière de quelques décennies. La librairie Samuélian, rue Monsieur-le-Prince dans le quartier Latin, demeure le QG sentimental des intellectuels de cette diaspora du Caucase.

Il fut un temps où les chauffeurs de taxi parisiens roulaient les *r*. Russes blancs, ils s'étaient reconvertis dans cette espèce de cavalerie de ferraille. Leur présence parisienne est aujourd'hui plutôt modeste si l'on excepte la population des nouveaux Russes dont la fortune récente leur permet de fréquenter les palaces hier dévolus à la clientèle arabe des pays du Golfe. L'église russe de la rue Daru dans le XVIIe arrondissement demeure le point de ralliement des naufragés de la Sainte Russie.

Non loin de la gare de Lyon, près du métro Ledru-Rollin, un petit quartier yougoslave, et surtout serbe, s'étire rue Traversière. Ces derniers ont remplacé, dans le Sentier (métro Strasbourg-Saint-Denis), les Juifs originaires de l'Est de l'Europe, actifs dans le milieu du *schmates*, le textile en yiddish. Très vite, ces immigrés de Zagreb ou Belgrade ont à leur tour cédé la place aux Asiatiques.

Il existe encore un petit regroupement d'Iraniens dans le XVe arrondissement de Paris, non loin de la rue du Commerce, et de très nombreux restaurants libanais dans Paris.

Deux ou trois épiceries authentiquement américaines (dont l'une située rue Saint-Paul), autrement dit des lieux bénis où le cheese-cake authentique méprise le fast-food.

Pour se faire une idée des diverses communautés étrangères qui, au fil des décennies, se sont agrégées à la nation française et au territoire parisien en particulier, on conseillera d'aller visiter la Cité nationale de l'histoire de l'immigration. Installée à la place de l'ex-musée national des Arts d'Afrique et d'Océanie, sublime bâtiment édifié par Laprade en 1931 à la porte Dorée (XIIe arrondissement), elle vise à restituer une image fidèle et dynamique du « melting-pot » tricolore. L'établissement débordant de bons sentiments fleure un peu la poussière, mais tant pis ! Sa visite vaut le détour, ne serait-ce que pour son architecture d'origine, absolument exceptionnelle. À l'époque, l'esprit colonial était encore en odeur de sainteté.

100 / Fontaine, place de la Concorde.

Page 96 / Le Petit et le Grand Palais.
L'ensemble architectural que composent le Grand et le Petit Palais contribue à faire de l'axe hôtel des Invalides, pont Alexandre-III, Champs-Élysées, palais de l'Élysée, une voie d'apparat. Les cortèges officiels ont pour habitude de l'emprunter. Les deux palais implantés face à face furent érigés à l'occasion de l'Exposition universelle de 1900. Entre 1855 et 1937, Paris a accueilli six expositions universelles (Londres et New York deux, Bruxelles quatre). De ces moments forts de l'histoire de la capitale, bien peu de témoins subsistent hormis la tour Eiffel (1889). Pourtant, ces expositions auront contribué à diffuser de par le monde le modèle urbain parisien issu des travaux d'Haussmann. Elles auront aussi dynamisé l'évolution de Paris, rendant indispensable la construction de ponts ou la mise en route du métropolitain. Aujourd'hui, qui se glisse entre ces deux palais doit se souvenir qu'ils furent flanqués en 1900 d'une myriade de pavillons asiatiques et africains, tous édifiés en bord de Seine.

Page 97 / La Verrière du Grand Palais.
La construction du Grand Palais débuta en 1897 en prévision de l'Exposition universelle de 1900. Il remplaçait l'ancien palais de l'Industrie dont la masse édifiée de biais venait rompre la perspective tirée depuis le dôme des Invalides jusqu'au palais de l'Élysée. Classé monument historique en 1975, il accueille quantité de manifestations, de salons et de foires. Bien que marqué par le style éclectique Beaux-Arts (colonnade, quadrige...), le Grand Palais relevait dès sa conception d'une esthétique sur le déclin. Héritier du Crystal Palace de Londres, il s'imposa d'être coiffé d'une grande toiture transparente, idéale pour capter la lumière. Bientôt l'électricité rendit toutes ces prouesses d'ingénieurs et d'architectes sans objet. La verrière avec sa structure métallique, récemment restaurée, n'en est que plus remarquable.

Page 99 / Le palais de l'Élysée.
L'acteur fétiche des Français, Michel Simon, invité par le président de la République Valéry Giscard d'Estaing, avait eu cette répartie : « C'est bien d'habiter l'Élysée, c'est central. » Et de fait, le palais reconverti depuis l'an 1873 en demeure du chef de l'État est idéalement situé au cœur de Paris comme au centre des affaires. C'est dans sa cour d'honneur que se bousculent les journalistes à chaque sortie du Conseil des ministres, le mercredi. Le parc qui s'étend à l'arrière des bâtiments est utilisé pour la réception annuelle du 14 Juillet. Bien qu'ayant subi de nombreuses, successives et diverses interventions architecturales, le palais conserve une assez grande unité. Les appartements y ont fait l'objet de plusieurs rénovations. Georges Pompidou y avait introduit l'art contemporain et François Mitterrand a lui aussi fait appel à plusieurs designers pour remodeler chambre, salon et bureaux. Près de 1 000 personnes travaillent à l'Élysée.

Page 100 / Fontaine, place de la Concorde.
Dessinées et réalisées par Jacques-Ignace Hittorff en 1839, les deux fontaines de la place de la Concorde ont pris pour modèle celles de la basilique Saint-Pierre de Rome. Placées au centre d'un vide urbain, elles mêlent leurs jets d'eau aux flux incessants des automobiles. Les deux ouvrages s'inspirent l'un des fleuves (au nord), l'autre des mers (au sud). De très nombreux artistes ont collaboré à la réalisation des vasques, des figures et des ornements. La pierre des fonds est polie jusqu'à lui donner la finition du marbre. Les fontaines de la place de la Concorde sont régulièrement l'objet de canulars ou d'actions militantes. Saupoudrées de lessive, elles moussent et débordent, ou bien leurs eaux se retrouvent colorées en rouge ou en bleu.

Page 101 / Jardin des Tuileries.
Par cette vision à vol d'oiseau, le jardin des Tuileries, les sculptures *Clara-Clara* de Richard Serra, la pointe de l'Obélisque, les parterres de fleurs, les murets, les grilles, tout semble prendre la pose. La magie des symétries opère, les axes se dessinent, les plans surgissent. Soudain, toute la puissance conceptuelle du jardin à la française s'exprime. Mieux qu'une longue explication de texte, cette image révèle l'art tout de poésie rigide du jardinier Le Nôtre.

Ci-contre / Place de la Concorde.
D'une hauteur de 23 m, l'Obélisque provient du temple de Louxor en Égypte. Offert à la France par Méhémet Ali, il fut transporté par bateau au fil du Nil, puis jusqu'à Toulon par le *Sphinx*, l'un des premiers navires à vapeur. Il fut dressé en grande pompe le 25 octobre 1835 en présence du roi Louis-Philippe et de 200 000 spectateurs. Aujourd'hui, il trône au centre de la place de la Concorde, étrange sentinelle égyptienne venue d'Afrique surveiller l'axe des Champs-Élysées. Sans son obélisque, la Concorde manquerait de mystère. Elle conserverait bien sûr cette grandiloquence née du vide somptuaire qu'elle exhibe. Elle s'ornerait encore des *Chevaux de Marly* dressés de part et d'autre de l'entrée des Champs-Élysées, ainsi que des huit sculptures échelonnées à son pourtour et qui symbolisent des villes de France. Mais cet obélisque ! C'est le rêve ajouté.

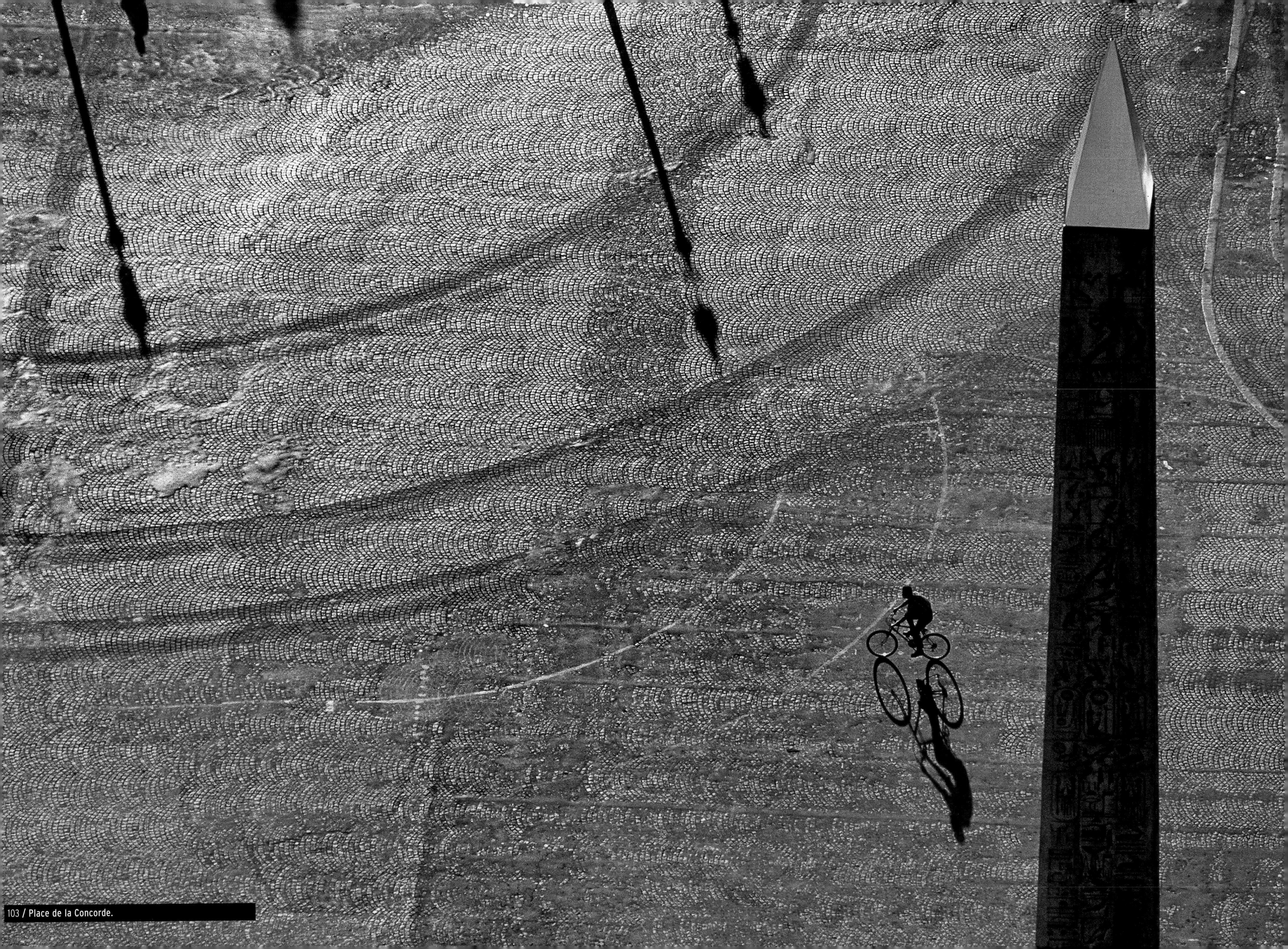

103 / Place de la Concorde.

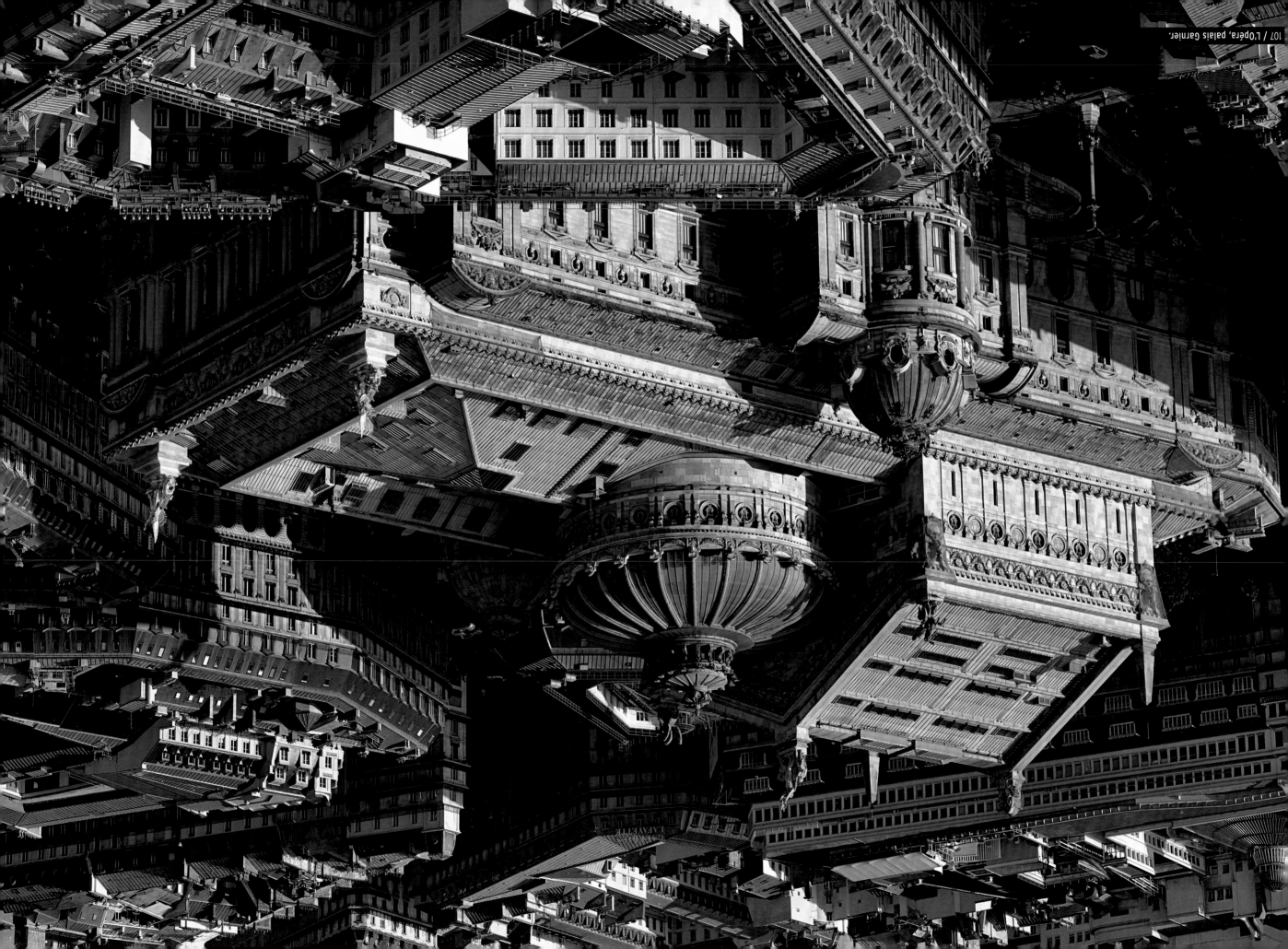

Page 104 / L'église de la Madeleine.

Dans l'esprit des Français, « se marier à la Madeleine » est synonyme de cérémonie grandiose. Cela tient sans doute à la situation particulièrement flatteuse de cette église. Elle clôt la rue Royale et domine, de loin, la place de la Concorde. L'Assemblée nationale, le parlement, s'est même adjoint une colonnade pour lui faire pendant. Elle est encore plantée au centre d'une grande place rectangulaire et ses emmarchements sont comme un appel à l'élévation.

Page 105 / L'église de la Madeleine.

Conçue par Napoléon comme un temple à la gloire des armées, l'église de la Madeleine vit sa destination changer de nombreuses fois. On pensa y installer la Bibliothèque nationale, le palais des députés et même y loger une gare parisienne. Elle ne devint église qu'en 1846. Temple périptère à colonnes corinthiennes, elle est d'une parfaite facture néoclassique. Il faut y voir la fresque de la demi-coupole (signée par l'artiste Ziegler). Elle est la seule à représenter l'empereur Napoléon dans une église. Auprès du Christ et de Marie-Madeleine, on le voit entouré de toutes les grandes figures du christianisme : Clovis, Jeanne d'Arc, Dante. Sans doute se marier sous un tel aréopage confine-t-il au sublime.

Page 106 / L'Opéra.

L'Opéra de Paris, édifié par Charles Garnier sous Napoléon III, s'inscrit au cœur du quartier des affaires de la rive droite. Aujourd'hui, sa façade arrière est bordée par les Grands Magasins, continuation commerciale de l'activité industrieuse qui se développa dans le quartier au XIXᵉ siècle. Au fil des grands boulevards, se dressent encore les palais de la finance qui s'y ancrèrent alors. Les sièges bancaires rivalisent de puissance avec leurs dômes dorés, leurs atlantes et leurs cariatides. Siège encore des cafés littéraires dépeints, entre autres auteurs, par Émile Zola, les boulevards exhibent les façades des cafés célèbres du boulevard des Italiens. On disait autrefois : « Il faut être riche pour aller à la Maison Dorée et cousu d'or pour aller au Café Riche. »

Page 107 / L'Opéra, palais Garnier.

« Qu'est-ce donc que ce style ? » aurait demandé l'impératrice Eugénie à l'architecte Charles Garnier en découvrant stupéfaite les dessins de l'Opéra de Paris. « C'est du Napoléon III et vous vous en plaignez ! » aurait répondu l'architecte. Manifeste éclectique, son décor emprunte à diverses sources antiques et italiennes comme à diverses époques. Situé au bout de la perspective de l'avenue de l'Opéra ouverte par Haussmann, la salle lyrique est d'une richesse de matériaux impressionnante. Rien que pour la façade principale, 73 sculpteurs ont marié leurs talents et leurs ciseaux, dont Jean-Baptiste Carpeau.

Page 108 / Cinéma, boulevard des Capucines.

Dans le quartier de l'Opéra, les bulbes et les coupoles sont partout. À l'angle des Grands Magasins, sur le toit de l'Opéra, aux façades des banques et même à celles des cinémas. Cette architecture d'apparat a marqué le XIXᵉ siècle soucieux de conférer aux architectures civiles l'aspect de palais urbains. L'art décoratif s'y est exprimé dans une surcharge de sculptures, de céramiques, de lanterneaux. Cette déferlante a pris le nom d'éclectisme et c'est de son rejet qu'a jailli, épuré et floral, l'Art nouveau.

Page 109 / Sur les toits du palais Garnier.

Le grand escalier de l'Opéra Garnier est l'objet d'une admiration générale. Il est un parfait exemple de ces éléments de décor que les réglementations « pompiers » destinées à assurer la sécurité des publics rendraient aujourd'hui inconstructibles. Si cet escalier mène aux cintres et aux anges des toitures, il conduit encore aux caves. Là, une légende veut qu'une rivière souterraine glisse, dissimulant dans les abysses du monstre d'inquiétants visiteurs. Gaston Leroux en a tiré son roman célèbre *Le Fantôme de l'Opéra*.

Page 110 / La Bibliothèque nationale.

Longtemps, avant de gagner la Très Grande Bibliothèque dans le XIIIᵉ arrondissement de Paris, les étudiants, les chercheurs et les maîtres de conférence ont phosphoré dans la poussière sous la magnifique verrière à structure métallique de la Bibliothèque nationale rue de Richelieu. Labrouste, par ailleurs architecte de la bibliothèque Sainte-Geneviève, place du Panthéon, l'avait édifiée au XIXᵉ siècle, ajoutant une salle d'apparat aux locaux préexistants. Au fil des décennies, la bibliothèque avait dû agréger divers hôtels particuliers pour contenir ses gigantesques collections d'ouvrages. Au charme suranné de cette institution vénérable, parfumée à l'encre et aux vieux papiers, s'est substituée l'efficacité des techniques informatiques de conservation et de consultation. Le bâtiment de la rue de Richelieu accueille aujourd'hui des expositions, occasion d'en goûter encore la studieuse atmosphère.

Page 111 / Le Printemps.

Le bonheur des Grands Magasins, c'est qu'ils sont traversants. Ainsi, et même si l'on s'est résolu à lutter contre la fièvre acheteuse, il faut pénétrer dans les Galeries Lafayette ou flâner au Printemps. Ces vastes palais sont alignés comme à la parade au long du boulevard Haussmann. Le bâtiment principal des Galeries est à lui seul un chef-d'œuvre. Sa verrière en coupole Art déco, inspirée de l'art byzantin, et ses cinq étages à balconnets sont à tomber à la renverse. Ce qui se produit pour qui lève trop longtemps la tête ! À l'extérieur, les bulbes des coupoles du Printemps donnent à

l'avenue, par temps de neige, un petit air moscovite. Celles-ci avaient pour but de battre sur leur terrain les institutions financières qui, au XIXᵉ siècle, se développaient dans le quartier. Les illuminations de Noël y sont du grand spectacle.

Ci-contre / Le palais Brongniart.

Édifié en 1826 par l'architecte Alexandre Théodore Brongniart, auteur également des plans du Père-Lachaise et du lycée Condorcet, le palais Brongniart, avec son péristyle à colonnes a tout du temple qu'il veut être. On le discerne au premier plan, au centre de l'image. Commandée par Napoléon Iᵉʳ, la Bourse de Paris afficha donc sa vocation d'être un temple de l'argent et des valeurs cotées. Elle est aujourd'hui l'un des symboles les plus affirmés du capitalisme. Sur cette place, s'élève aussi l'immeuble de l'Agence France Presse. La brasserie « Vaudeville », au décor Art déco préservé, fait toujours le plein de traders et de journalistes, en particulier ceux de l'hebdomadaire *Le Nouvel Observateur* dont les bureaux plongent sur la place. Celle-ci crée une respiration dans un quartier très dense où se dissimulent les magnifiques passages couverts, rescapés des destructions haussmanniennes.

114 / Horloge, gare de Lyon

118 / Le parc de Bercy.

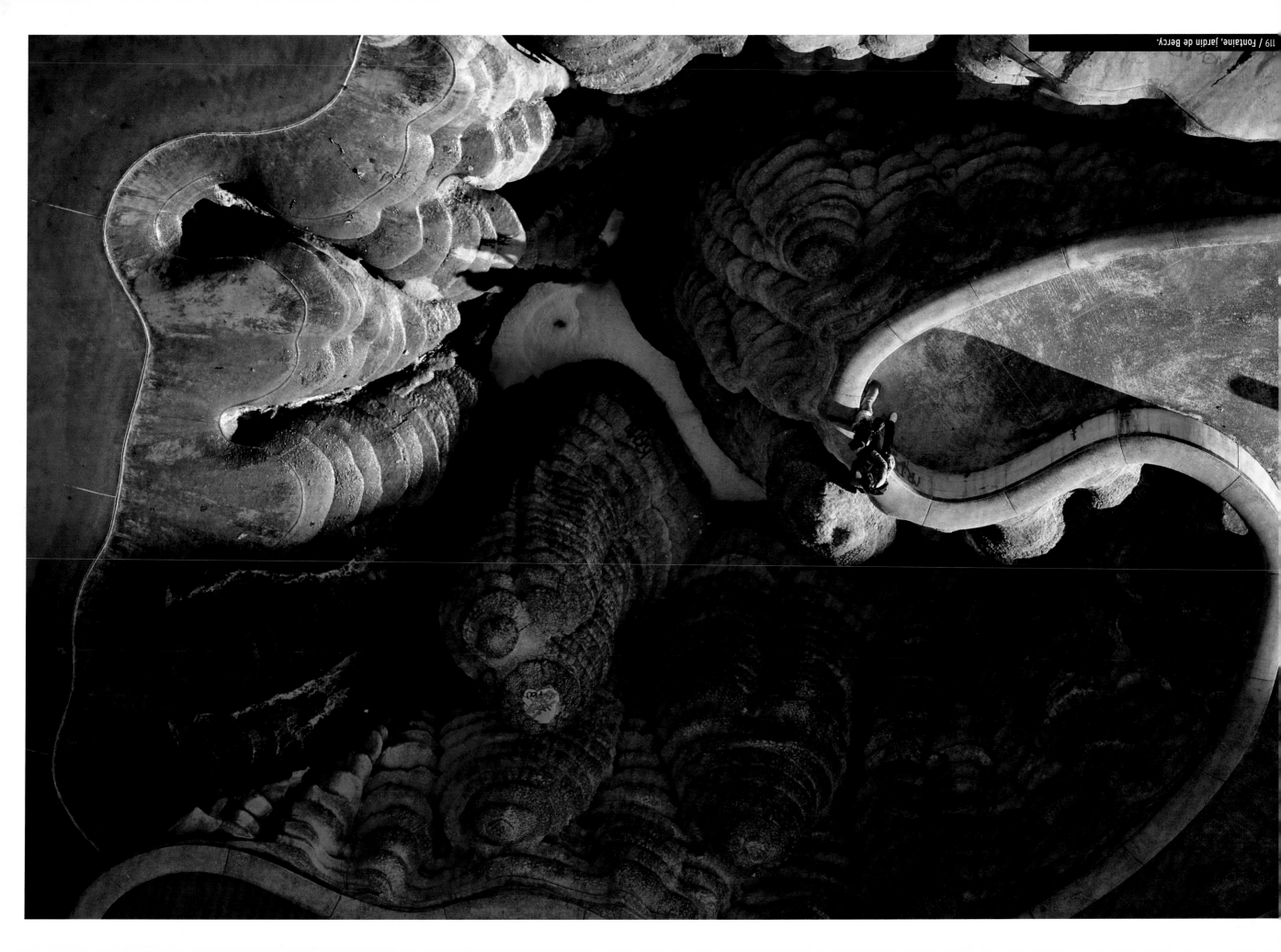

Page 114 / Horloge, gare de Lyon.

Quand les quatre cadrans de son horloge luisent dans la bruine ou le brouillard, le beffroi de la gare de Lyon, haut de 68 m, prend des faux airs de Big Ben londonien. Autrefois pourtant, le quartier de la gare de Lyon était avant tout un secteur asiatique. Les Chinois y étaient nombreux. Dans les années 1970, les pâtés de maisons situés sur le flanc est de la gare devinrent insalubres. Dans le dédale des ruelles de l'îlot Chalon se développèrent alors squats et trafic de drogue. Tout cela a depuis été « ripoliné ». Côté Seine, un ensemble de petits gratte-ciel est sorti de terre. Son architecture d'ensemble est discutable. Non loin de là, près du pont d'Austerlitz, le métro franchit le fleuve sur un pont qui lui est réservé. Dans le virage, sur la rive droite, il frôle l'institut médico-légal, autrement dit la morgue. Le quartier a tout d'un décor pour polar.

Page 115 / La gare de Lyon.

La gare de Lyon est bâtie sur un promontoire haut de 6 à 8 m essentiellement pour la protéger des crues de la Seine. Terminus de la ligne PL (Paris-Lyon) puis PLM (Paris-Lyon-Marseille), elle est la porte de la Côte d'Azur et des pistes de ski de Savoie et des Alpes. Elle est au rail ce que la nationale 7 est à la route, une promesse de soleil. Au premier étage de la gare, frémit toujours la célèbre brasserie Art déco, Belle Époque, « Le Train bleu ». On y déguste avant tout des spécialités lyonnaises, comme le saucisson chaud pistaché. Inaugurée en 1900 à l'occasion de l'Exposition universelle, en même temps que le Grand Palais et le pont Alexandre-III, la brasserie a été classée monument historique en 1972 par André Malraux. De très nombreux films y ont été tournés : *La Maman et la Putain* de Jean Eustache, *Nikita* de Luc Besson ou encore *Les Vacances de Mr. Bean* de Steve Bendelack.

Page 116 / Le ministère des Finances.

Si les architectes Alexandre Chemetov et Borja Huidobro avaient voulu exprimer le poids écrasant de la pression fiscale sur le contribuable, ils n'auraient pas mieux fait. Depuis la fin des années 1980, le ministère des Finances aligne ses travées avec la régularité d'un tiers provisionnel. Gigantesque machine administrative, ce bâtiment a été choisi par le jury sur concours. À la différence des autres candidats, le duo gagnant avait osé tirer une barre sur 900 m de long, enjamber le quai et se planter dans la Seine ! Une audace que les tenants du patrimoine abominèrent. Plus que par son allure générale, c'est bien pour cette implantation « pieds dans l'eau » que ce ministère est une étrangeté.

Page 117 / Le POPB et le ministère des Finances.

Surnommé le POPB, le Palais Omnisport de Paris-Bercy est une salle polyvalente. Elle peut accueillir des compétitions sportives aussi diverses qu'un tournoi de tennis ou un championnat de stock-car ! En sus, les plus grandes stars s'y produisent : Céline Dion comme Bruce Springsteen ou Madonna. Dessinée et construite par les architectes Michel Andrault et Pierre Parat, cette pyramide a été inaugurée en 1984. Ses flancs inclinés recouverts de gazon ont considérablement surpris à l'époque. Cet équipement culturel est venu s'installer sur ce qui était autrefois les entrepôts de Bercy, à savoir une halle aux vins. Les négociants stockaient là leurs tonneaux et leurs bouteilles, des trains entiers de citernes riches en alcool glissaient sur des rails tirés entre les pavés. Cet univers énigmatique fit le bonheur des amoureux du roman noir avant de céder la place aux fans d'exploits sportifs.

Page 118 / Le parc de Bercy.

Planté sur ce qui était autrefois la halle aux vins, le parc de Bercy a été dessiné par l'architecte Bernard Huet aidé d'une forte équipe. Trois espaces distincts s'y succèdent : un premier jardin romantique avec reconstitution de dunes, bassins et nénuphars, puis un jardin potager à vocation pédagogique, ouvert aux scolaires désireux d'en savoir un peu plus sur le rythme de saisons, le travail de la terre, et enfin un ensemble dénommé « les prairies » où le public peut s'adonner au repos comme aux compétitions sportives. À l'orée du parc, se trouve aujourd'hui la Cinémathèque française. Elle s'est installée dans le bâtiment que l'architecte star Frank Gehry avait édifié pour le compte de l'American Center. Une splendide passerelle permet de relier le parc à la bibliothèque de France située rive gauche. Il faut la parcourir pour en découvrir la taille impressionnante et les qualités cachées.

Page 119 / Fontaine, jardin de Bercy.

À l'entrée de la patinoire Sonja Henie, rue de Bercy, se trouve la fontaine *Canyoneaustrate* de Gérard Singer. À sec, elle semble échappée du zoo de Vincennes tout proche. Il ne manque que les animaux sauvages, les ours ou les gorilles. De sacrés mastodontes s'affrontent en vérité, et toute l'année, sous la verrière du POPB (le Palais Omnisport de Paris-Bercy) tout proche. Tournois de tennis, matchs de boxe, tournée de stars du rock et de divas du rap s'y enchaînent. Les décibels y sont de sortie.

Ci-contre / Cadran solaire, sur la « Coulée verte ».

L'actuelle « coulée verte » était hier une voie de chemin de fer. Les trains de la ligne de Vincennes quittaient la gare de la Bastille (aujourd'hui détruite) pour gagner les communes de la banlieue est de la capitale. Le long viaduc a été sauvé par l'architecte Patrick Berger. Ses voûtes qui abritaient autrefois entrepôts, brasseries, cafés et armureries accueillent maintenant des restaurants branchés et de nombreux showrooms de designers. Les amateurs de rollers ont transformé ce promontoire de près de 5 km de long en une piste de glisse. Des aménagements paysagers, des bancs, des petits ponts, et même un très grand cadran solaire horizontal – dû à R. et J.-L. Doucet – sont la preuve d'une reconversion particulièrement réussie. La coulée verte frôle ou s'éloigne des immeubles qui la bordent, excellente façon encore de découvrir l'architecture du quartier.

Le chant de Paris

Plongés comme nous le sommes dans le fracas sonore d'une cité contemporaine, englués dans le brouillard constant des pétarades de motocyclettes, des musiquettes de pizzerias et des sirènes d'ambulance, nos tympans dégustent. Les oreilles n'ont pas de paupières et, par voie de conséquence, l'être humain lâché sur les boulevards de Paris encaisse plus qu'il ne déguste le *staccato* urbain. Pourtant, de ce maelström incessant surnage comme une petite musique. Ce murmure, c'est l'air de Paris, une poésie sonore à « gueule d'atmosphère », comme l'aurait « balancé » Arletty. L'image parle d'elle-même. Car, paradoxe, le son est d'abord une couleur, une succession d'icônes mentales, un paysage. N'importe quel touriste a son idée là-dessus. Paris pour le Teuton, l'Ouzbek ou le Texan, c'est d'abord un air d'accordéon, une réminiscence de juin 36, un côté bal populaire, des jupes qui s'épanouissent dans des effluves de muguet. Les films de Marcel Carné ont marqué l'imaginaire des cinéphiles aux quatre coins du monde et qui vient à Paris veut voir une Parisienne virevolter sur le pavé. Désuet, passéiste, le cliché a retrouvé des couleurs avec le succès du film *Le Fabuleux Destin d'Amélie Poulain*. Aujourd'hui, il suffit d'arpenter le marché de la rue Mouffetard pour voir et entendre, le dimanche, des foules de gens très comme il faut, bourgeois bohèmes cossus, chanter en chœur *Sous les toits de Paris*.

Guillaume Huret, qui est au son ce que certains grands designers sont aux formes, soutient lui que la plus belle image sonore de Paris pourrait se résumer ainsi : debout devant un étal où trônent nos 365 variétés de fromages, une assemblée de doctes connaisseurs devise des mérites comparés du salers et du cantal, de l'onctueux effritement d'un charolais, de l'attaque à la vacharde d'un munster. Prenant un instant la fromagerie pour une annexe de la Sorbonne, ils discutent des pâtes et des saveurs avec autant de sérieux que des spécialistes de Jean-Paul Sartre décortiqueraient l'existentialisme. Le son de Paris, c'est de l'intellectualisme appliqué à la bonne chère. Et pour preuve, notre spécialiste convoque une autre image mentale, celle de deux Parisiennes, pimpantes et délurées, assises côte à côte à une terrasse de café, au soleil. Leur conversation futile, sérieuse, complice se conjugue aux bruits de fond d'une brasserie, d'un bar-tabac. Les tasses entrechoquées, les jets de vapeur du « perco », les commandes lancées à toute berzingue par un garçon dur à cuire : « deux demis, une noisette, un Cinzano »... ça, c'est Paris. On s'installe en terrasse pour mirer ses semblables ; pour les entendre aussi.

À cette image d'Épinal-sur-Seine, et pour faire « moderne » sans doute, faut-il ajouter encore une voiture de police lançant à toute volée le *ré-la* de sa sirène, y adjoindre le cliquetis des clochettes de nos autobus et, qui sait, le bombardement en sourdine d'une radio branchée rap...

Toutes les villes ont une couleur sonore et chacun sait que New York ne vibre pas comme Paris, que son métro est furieux et brinqueballant à côté du nôtre, tout juste grimaçant dans les courbes. Quand notre Métropolitain comportait encore des wagons de première classe teints d'un rouge profond, ses rames grinçaient au fil des rails. Aujourd'hui, il glisse sur des pneus, et il faut tendre l'oreille pour retrouver le charme de sa ferraille d'antan. On en capte encore la respiration en pleine rue, quand d'une grille d'aération s'échappent et son tremblement et son odeur de poussière étuvée. Même badigeonné de peinture antitags, il conserve une voix singulière. La sonnerie annonçant la fermeture de ses portes, la voix féminine égrenant le nom des stations gardent une couleur et un timbre particulier, celui d'une pétarade mécanique mais feutrée.

Notre mémoire supplée au réel. Au-delà des bruissements, d'autres voix se font entendre qui sourdent du passé. Nous avons tous en tête des réminiscences de ce qui fit Paris, les bals du 14 Juillet, les balles de la Résistance, les slogans des révolutionnaires, le fracas des manifestations, l'esprit des barricades, les vitrines qui dégringolent, les rideaux de fer qu'on baisse à la va-vite ou que l'on tire en fin de semaine dans le Sentier, une sirène d'alerte à midi le premier mercredi de chaque mois, le vrombissement d'un avion dans le ciel et quelques hélicoptères dont celui de Yann Arthus-Bertrand, qui sait. Le voici photographiant pour ce livre une place, une ruelle, des toitures au soleil couchant.

Impossible également d'échapper au chuintement des pneus sur les pavés puis l'asphalte. On ne mesure pas à quel point un véhicule peut faire de raffut sur un sol mal bitumé. Quand on songe que Philippe Auguste fit paver l'axe nord-sud de Paris, de la porte Saint-Martin à la porte Saint-Jacques en 1184 ! Il devait en avoir la tête farcie des railleries de cochers et du grincement des chars à bœufs ! Certes, une part de la couleur sonore de Lutèce puis de Paris a disparu avec les petits métiers. Oubliés les cris du vitrier, du charbonnier, de la marchande de marrons ? Non point. Ils résonnent en notre mémoire encore et toujours et se mêlent désormais au raclement des godillots des terrassiers, aux vociférations des lycéens jaillissant d'un « bahut », aux Klaxon des véhicules escortant une mariée d'Indochine ou du Mali. Et puis, parce qu'à Paris comme ailleurs sous les pavés se terre la plage, les animaux participent au concert ; froissement d'ailes des pigeons s'envolant en nuées, pépiements d'étourneaux lovés dans les platanes et même, mais oui, rugissements des lions. Il suffit pour les entendre, pour les sentir même, de s'asseoir sur un banc non loin du Jardin des Plantes. L'expérience est dépaysante, très exactement fauve.

Reste à saupoudrer tout ce qui précède d'un zeste d'accordéon. Si le piano à bretelles est aujourd'hui plus souvent malaxé par un ressor-tissant moldave que par un marlou des faubourgs, c'est que le piano du pauvre a délaissé les cafés pour rôder dans les rames de métro. Il rend hommage en quelque sorte aux kiosques à musique qui s'élevaient autrefois dans Paris. Ces édicules succédaient aux pavillons des jardins ottomans et orientaux qui avaient enchanté les foules. Qu'on y songe, le premier concert donné en plein air sur les Champs-Élysées le fut en août 1833. À présent, tous les 21 juin, et ce, depuis 1982, la fête de la musique truffe les rues de Paris d'orchestres hauts en couleur. Tous raniment par leur présence assourdissante l'esprit de ce qui mua Paris en Eldorado des plaisirs : l'explosion des cafés-concerts. On en comptait douze en 1852, deux cent un demi-siècle plus tard. Paris vivait alors au rythme d'Offenbach et courait les théâtres. Paris respirait et chantait au rythme de ses quartiers. On « était » alors Champs-Élysées ou Grands Boulevards. On montait à Belleville au Palais-Travail, on se pressait pour applaudir Margueritte Dufay, la chanteuse excentrique et son trombone ! Les foules allaient se tordre aux exhibitions de Joseph Pujol alias le Pétomane, « le seul artiste qui ne paie pas de droits d'auteur ».

Toutes ces vedettes enchantèrent la Belle Époque, multipliant les succès à double sens : *C'est dans l'nez qu'ça m'chatouille* ou *Les Noisettes j'les casse quand j'm'asseois d'sus*. Tout un programme ! On reprenait en chœur *La Madelon*, surnommée par les poilus *La Marseillaise des tranchées*, on s'encanaillait au Moulin-Rouge, aux Folies-Bergère, au Lido, au Bataclan. Les gigolettes, les voyous, les apaches fréquentaient le Balajo, rue de Lappe. On prenait des cuites et découvrait l'amour dans les beuglants, les bals musette du bord de Marne, là où le vin coûtait moins cher qu'à Paris. En 1943, la suppression des taxes d'entrée à acquitter aux barrières d'octroi signifia aussi la mort des guinguettes. La vogue des cabarets fit de Montmartre l'écrin du Chat Noir et du Lapin Agile. Saint-Germain-des-Prés fit la renommée du jazz grâce à ses boîtes comme le Tabou...

Et puis, l'air de Paris ne serait pas le même sans quelques chansons comme *Le Poinçonneur des Lilas, J'ai deux amours... mon pays et Paris, Paris au mois d'août, Ça, c'est Paris...* Toutes résonnent dans nos têtes et chaque Parisien sent dans ses jambes fourmiller le french cancan, dont Rigolboche écrivait en 1845 : « Le cancan n'a qu'un seul synonyme : la rage. » Que reste-t-il de tout cela ? Les pétarades des feux d'artifice du 14 Juillet qui clament haut, très haut, et fort, très fort, que Paris sera toujours Paris. Napoléon déjà l'avait compris qui écrivait aux heures glorieuses de son règne : « Commander, c'est parler aux yeux ». À Paris, le son nous en met plein la vue.

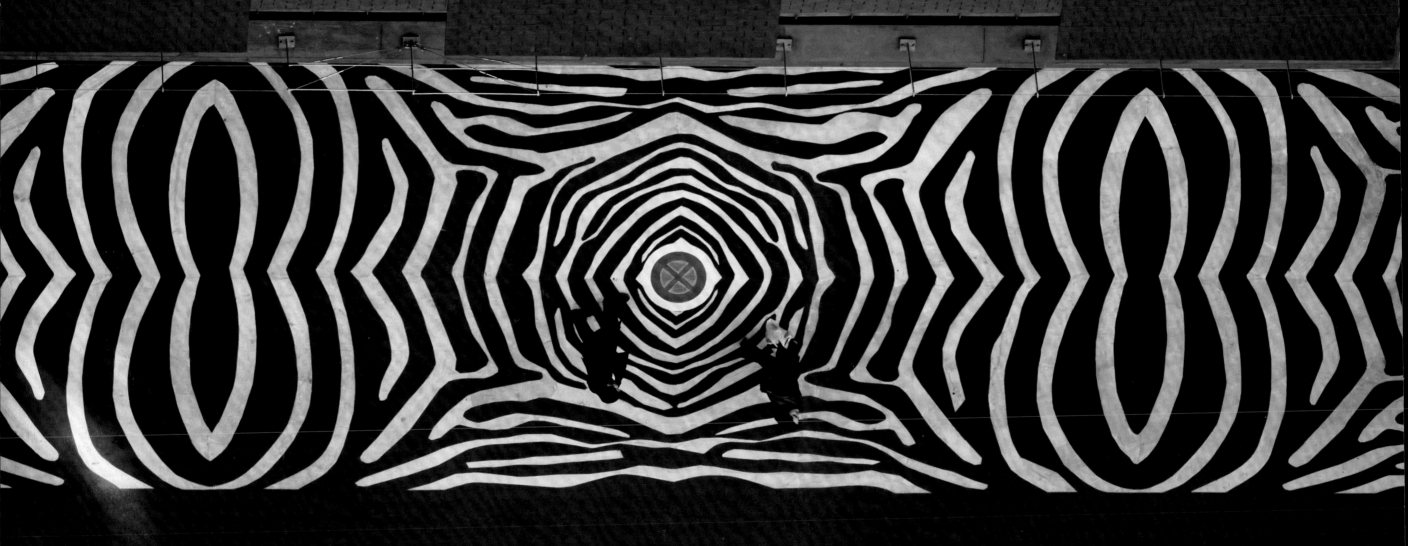

Page 123 / La place de la Nation.
Terminus des grands défilés populaires de gauche, qui par tradition empruntent « l'axe républicain » République-Bastille-Nation, la place de la Nation, ex-place du Trône puis du Trône-Renversé, impressionne autant par sa taille que par son unité architecturale. Les colonnes du Trône, surmontées des statues de Philippe Auguste et Saint-Louis, flanquent les pavillons que Ledoux édifia pour marquer la barrière d'octroi de l'enceinte des Fermiers Généraux. En 1660, un trône avait été dressé ici pour célébrer l'entrée dans Paris du roi Louis XIV et de Marie-Thérèse d'Autriche. Plus tard, ce fut ici encore que fut installée, durant la Révolution, la sinistre guillotine. C'est sur cette place que, le 22 juin 1963, le tout jeune magazine *Salut les copains* organisa un concert qui allait dépoussiérer la société française. Johnny Hallyday, Richard Anthony, Frank Alamo ce soir-là cassèrent la baraque. La vague yé-yé allait déferler, l'explosion des sixties s'annonçait. En ces années-là, le cours de Vincennes, qui part de la place de la Nation en direction de la banlieue, était encore, et pour quelques semaines autour de Pâques, neutralisé et reconverti en Foire du Trône, gigantesque fête foraine. L'évolution du trafic automobile n'allait pas tarder à conduire la mairie de Paris à transférer cette fête en un endroit plus paisible, la pelouse de Reuilly.

Page 124 / La Bibliothèque nationale de France.
Dominique Perrault était jeune encore quand il remporta le concours de la Très Grande Bibliothèque initié par François Mitterrand. Son projet de quatre tours de verre ouvertes comme autant de livres suscita pourtant la critique. Les livres nécessitant ombre et protection, on s'étonna de les voir destinés à être conservés au soleil. De fait, l'architecte dut réviser à la baisse ses prétentions de transparence. On critiqua encore le jardin intérieur, « cénotaphe du livre mort ». Il n'empêche, l'établissement aujourd'hui fonctionne et tout un quartier nouveau se développe autour de ce porte-avions monumental. Le parvis venteux et glissant gagnerait à s'agrémenter de divers édicules destinés à le rendre plus convivial.

Page 125 / Les Grands Moulins de Paris.
Les Grand Moulins de Paris, dont on voit ici la cour intérieure, furent construits entre 1917 et 1921 par Georges Wybo, l'un des architectes du Printemps Haussmann. Et de fait, une certaine ressemblance se fait jour entre les deux édifices, même étroitesse anguleuse, même coupole signal. La halle aux farines fut, elle, confiée à un élève d'Auguste Perret. C'est ce bel ensemble que l'architecte Rudy Ricciotti, Grand Prix national d'architecture 2007, a reconverti en faculté. Paris VII Denis-Diderot y a maintenant installé ses bureaux et ses salles de cours. Son implantation confirme le développement, dans ce quartier totalement bouleversé, d'un véritable pôle universitaire. Non loin de là, il ne faut pas rater la faculté d'architecture signée par Frédéric Borel et l'ensemble des réalisations nouvelles conduites sous la gouverne de l'architecte Christian de Portzamparc.

Page 126 / Près de la Butte-aux-Cailles.
Nichée derrière le boulevard Auguste-Blanqui dans le XIIIe arrondissement, une vaste cité carénée comme une forteresse a pris position sur le flanc de la colline de la Butte-aux-Cailles. Cet ensemble épouse une pente aussi raide qu'inattendue. Quiconque emprunte la rue Le Dantec, étroite, coudée et sans magasins, se glisse encore dans un chemin de traverse. De l'autre côté du boulevard, se dresse le premier gratte-ciel français : la tour Albert. Adossée, elle aussi à une fameuse pente, elle domine le square Croulebarbe. Étrange quartier où les styles d'architecture se télescopent dans un chaos géologique.

Page 127 / La place d'Italie.
La place d'Italie, comme son nom l'indique, ouvre la route du Sud. C'est par là que l'on partait, hier, vers Rome. Vaste carrefour doté d'un square central quasi inaccessible, elle est bordée par deux quartiers que tout oppose. À l'est, en haut à gauche de la photo, se discernent les tours de l'Opération Italie. Dans les années 1960, on envisagea de développer ici un gigantesque secteur sur dalles. Les travaux furent lancés, des tours jaillirent puis l'ensemble fut gelé. Les critiques sont unanimes pour déplorer le massacre dont souffrit ce quartier. À l'ouest, s'élève toujours le bucolique ensemble de la Butte-aux-Cailles. Cette colline est aujourd'hui un havre de paix dans lequel les restaurants et les cafés branchés pullulent. De nombreux artistes y ont élu domicile.

Page 128 / L'École des arts et métiers.
L'ancienne École des arts et métiers a changé de nom à plusieurs reprises. En 2005, elle a adopté celui plus complexe de Arts et Métiers ParisTech-Centre de Paris. Ouverte en 1912, elle a vu ses attributions évoluer au fil des années. Spécialisée dans les domaines pointus que sont l'électronique, les énergies, le génie industriel ou les matériaux, elle forme aujourd'hui des ingénieurs. De tout temps, ses élèves ont porté le surnom de « gadz'arts », contraction des mots « gars des arts », entendez les arts et métiers. Il ne faut pas les confondre avec les « quat'z'arts », élèves en architecture, peinture, sculpture et gravure. Le vaste ensemble s'étend du boulevard de l'Hôpital à l'avenue Stéphen-Pichon, étrange voie hors d'âge et comme préservée du chaos tout proche de la place d'Italie.

Page 129 / La Manufacture des Gobelins.
Créée par Colbert au XVIIe siècle, la Manufacture nationale des Gobelins dépend aujourd'hui du Mobilier national. Elle fut instituée pour regrouper les meilleurs artisans tapissiers et teinturiers du moment. Il importait alors de doter le royaume de France d'une fabrique capable de rivaliser avec les producteurs flamands et italiens. Dès le XVe siècle, un teinturier nommé Gobelin avait pignon sur rue dans le quartier Mouffetard. Il devait sa réputation à sa capacité à obtenir des rouges écarlates. L'Europe a connu durant des siècles un combat féroce entre les fabricants de rouge et les fabricants de bleu. Si cette dernière couleur est aujourd'hui la préférée des Européens, il n'en alla pas toujours ainsi. Hasard heureux, cette lutte fratricide trouve à s'apaiser dans le blason de Paris où rouge et bleu cohabitent. Les tapisseries des Gobelins sont mondialement célèbres. Les plus grands artistes ont été et sont toujours sollicités pour dessiner des cartons, citons Serge Poliakov, Pierre Alechinsky, Louise Bourgeois et plus récemment Matali Crasset.

Ci-contre / La cité Daviel.
Dans le secteur de la rue Nationale, les ensembles d'IGH (immeubles de grande hauteur) voisinent avec des bandes de pavillons à l'ancienne. Situé hors les murs de Paris, ce quartier était au XIXe siècle une succession de petits villages. Un certain nombre de villas, hameaux et cités florales ou ouvrières perdurent encore dans cette portion de la capitale. Le parcourir à pied, c'est aller à la rencontre de la cité Daviel dite « la Petite Alsace » (rue Daviel), et découvrir la succession des villas lilliputiennes toutes loties autour de la place de l'Abbé-Georges-Hénocque.

Page 132 / Dans le XIIIᵉ arrondissement.

L'urbanisme des années 1960 a dressé, dans les quartiers Italie et Montsouris, de véritables murailles d'immeubles de grande hauteur. Pénibles à voir, car ils font tache dans le paysage parisien, ils sont plus agréables à vivre. La vue y est souvent panoramique et les habitants ont su se ménager sur leur balcon de petits solariums individuels. Si l'effet global est chaotique, la réalité de chacun est parfaitement maîtrisée, et puis chacun sait que pour ne pas voir l'immeuble qui fâche, mieux vaut y résider.

Page 133 / Dans le XIIIᵉ arrondissement.

Sur le boulevard Arago, large voie bordée de platanes, s'élève un immeuble massif de grande hauteur. Il fait exception dans un environnement plutôt protégé. Fait rare, les habitants de ce vaste ensemble bénéficient d'une piscine installée sur le toit terrasse. Ce bassin de natation est en vérité une réserve d'eau destinée à faciliter le travail des pompiers en cas d'incendie. Les dangers de la vie urbaine sont parfois source de volupté.

Page 134 / La prison de la Santé.

Quelle étrangeté que cette prison nichée en plein Paris. La Santé tire ses hauts murs de meulière au long du boulevard Arago, réputé pour ses platanes et son silence. Édifiée en 1867, elle occupe un vaste trapèze urbain qui fait saliver les promoteurs toujours à la recherche de terrains *intra-muros*. Parfois qualifiée de prison VIP (Very Important Person), la Santé est souvent la destination des incarcérés « people ». Il n'est pas rare de voir des paparazzi « planquer » aux alentours. Il existait autrefois un café situé juste en face de la porte principale baptisé « À la bonne santé ». Du temps où la France pratiquait encore la peine capitale, plusieurs condamnés furent guillotinés à l'angle de la rue de la Santé et du boulevard Arago. Après guerre, les exécutions se firent à huis clos, derrière les murs.

Page 135 / La place Denfert-Rochereau.

Autrefois dénommée place d'Enfer, la place Denfert-Rochereau conduit aux abysses. Une petite porte enclavée dans l'un des deux pavillons d'octroi, dessinés par Ledoux avant la Révolution française, donne accès aux catacombes. Des foules de curieux y patientent avant de dévaler les escaliers à la rencontre des ossements. Étrange carrefour Denfert qui cumule une porte sur l'outre-tombe et une porte percée dans l'ancien mur des Fermiers Généraux. Étrange et surréaliste encore avec son lion gigantesque, réplique sculptée au tiers et en métal martelé du lion de Belfort signé hier par Bartholdi. Sompteux de puissance apaisée, le fauve rend hommage à la ville de Belfort que son héroïque gouverneur, Denfert-Rochereau, avait si bien défendue en 1870. Vaste esplanade, la place est une habituée des défilés et des manifestations.

Page 136 / L'Observatoire.

Le 21 juin 1667, jour du solstice d'été, les mathématiciens tracèrent, à l'emplacement de l'actuel Observatoire, ce qui allait devenir le Méridien de Paris. Le bâtiment fut érigé ensuite pour qu'y soient poursuivies des opérations d'études astronomiques. La standardisation des mesures y fut menée à bien. On définit ainsi le kilogramme et le mètre, dont les étalons furent conservés sur place avant d'être déposés au pavillon de Sèvres. D'innombrables expériences ont été conduites ici, en particulier sur la photographie. Édifié sur d'anciennes carrières, l'Observatoire en a utilisé certaines pour pratiquer des expériences sur la chute des corps dans un puits qui existe toujours. À gauche de la grille d'entrée, chacun peut venir mettre sa montre à l'heure. Une horloge astronomique en assure l'exactitude. Le bâtiment est situé dans un petit parc assez mystérieux. L'âme des savants fous et des génies semble rôder dans les frondaisons.

Page 137 / Le cimetière du Montparnasse.

Dernière demeure des stars, le cimetière du Montparnasse est une enclave assoupie dans un quartier trépidant. À plusieurs reprises, chaque année, les paparazzis s'y donnent rendez-vous pour traquer les célébrités venues accompagner l'une des leurs, pour son ultime voyage. La liste des tombes est un véritable *Who's who* des talents et du brio français. Charles Baudelaire, Simone de Beauvoir, Jean-Paul Sartre, Marguerite Duras, Serge Gainsbourg, Eugène Ionesco, Joseph Kessel, Maurice Pialat, Topor, Tristan Tzara... et beaucoup d'autres encore, tous sont là, couchés sous la terre. Le cimetière est coupé en deux par la rue Émile-Richard, à la fois sinistre et magique dans son extrême dénuement. Sous la neige, le cimetière vire au sublime.

Page 138 / Place de Catalogne.

Derrière la gare Montparnasse, l'architecte barcelonais Ricardo Bofill a édifié un ensemble de logements en arc de cercle autour de la place de Catalogne. Son style à colonnades, frontons et entrées monumentales en fait un exemple choisi du courant « postmoderne ». Tout en utilisant des matériaux contemporains comme le béton ou l'acier, les tenants de cette doctrine se sont plu à puiser dans le bréviaire des formes antiques des parties de temple, d'église, de château. Utilisant ensuite toutes les ressources de la technologie moderne, ils en ont outré les dimensions. Il en résulte des « palais pour le peuple », une architecture grandiose au service du citoyen lambda. Ses défenseurs louent son intégration dans le contexte urbain, son respect du patrimoine, ses détracteurs vilipendent ses aspects kitsch, sa qualité de construction médiocre, et son côté pastiche et parc à thèmes pour adultes.

Page 139 / La gare Montparnasse.

Difficile de parler de la gare Montparnasse sans évoquer la tour qui la flanque et la dalle qui l'écrase. La façade d'hier a en effet disparu dans l'aménagement des années 1970. Dommage. Par chance, le quartier a su conserver son âme d'hier. Porte d'entrée dans le Paris des Bretons, ceux-ci ont essaimé dans les rues environnantes. La bolée de cidre et la crêpe au beurre résistent toujours à la montée en puissance des faux restaurants japonais. De même, la rue de la Gaîté, bien que défigurée par un éclairage excessif très « pub », reste celle des théâtres. Avec ses immeubles bas, ses néons qui scintillent, elle distille de faux airs londoniens. Au carrefour de la rue de la Gaîté et du boulevard Edgar-Quinet, les pompes à bières et les percolateurs fonctionnent toujours au café « La Liberté ». C'est là que Jean-Paul Sartre venait s'attabler.

Page 140 / L'Unesco.

Pour sa construction, le siège parisien de l'Unesco, installé place de Fontenoy, a réuni dans les années 1950 le gotha de l'architecture internationale. Ses trois bâtisseurs sont Marcel Breuer, Pier Luigi Nervi et Bernard Zehrfuss. Ensemble, ils ont dessiné cet édifice en Y, une idée enthousiasmante qui recueillit l'aval de Le Corbusier, Gropius et Saarinen entre autres. Inauguré en 1958, il a été complété par divers bâtiments. La décoration intérieure est elle aussi due à des artistes de diverses nationalités : Tapiès, Moore, Picasso, Bazaine, Calder, Giacometti... L'architecte japonais Noguchi y a dessiné le jardin de la Paix et, dernièrement, son compatriote, l'architecte Tadao Ando y a réalisé un espace de méditation œcuménique très zen. Le bâtiment se visite.

Page 141 / L'École militaire.

L'École militaire fut fondée sous Louis XV dans le but de former 500 jeunes nobles sans fortune au métier de la guerre. L'architecte Ange-Jacques Gabriel reçut pour mission d'édifier un ensemble susceptible de surpasser l'hôtel des Invalides inauguré peu avant sous Louis XIV. Parmi ses meilleurs élèves, citons Bonaparte qui vint y faire ses classes. Aujourd'hui, l'établissement jouit d'une position urbaine particulièrement exaltante. Situé en face du Champ-de-Mars, il embrasse le territoire jusqu'au palais de Chaillot, place du Trocadéro, englobant au passage la tour Eiffel. C'est dans la cour de ce bâtiment que le capitaine Dreyfus injustement accusé de trahison fut dégradé. La façade classique s'inspire des bâtiments du Louvre. Dans le fond de l'image, se dresse la tour Maine-Montparnasse. Le dôme à gauche est celui des Invalides.

Ci-contre / Le musée du Quai-Branly.

Le musée du Quai-Branly a pris la place de ce qui aurait dû être un centre de conférences. Un premier concours en avait décidé la nécessaire construction, au final abandonnée. Jacques Chirac, alors président de la République, a mis tout son poids dans la balance pour qu'un musée des Arts premiers soit programmé et un nouveau concours d'architecture lancé. Aujourd'hui, de la terrasse du musée et du restaurant Les Ombres qui s'y trouve, la vue embrasse une large partie de la capitale. Sur la rive droite, s'élève la colline du Trocadéro surplombant la Seine. Sur la rive gauche, s'étend tout le VIIᵉ arrondissement d'où émerge la coupole des Invalides. La confrontation avec la tour Eiffel y est particulièrement impressionnante.

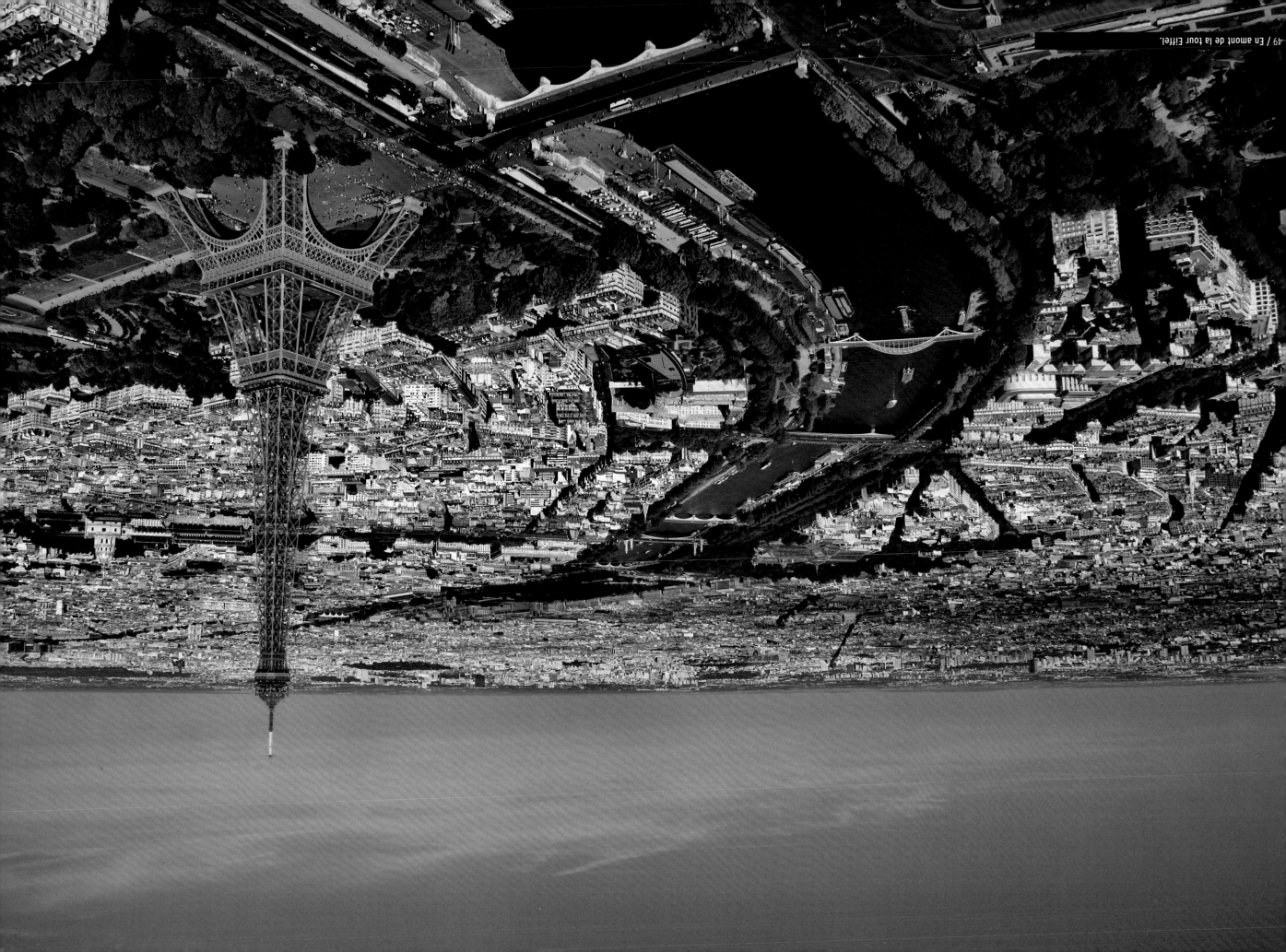

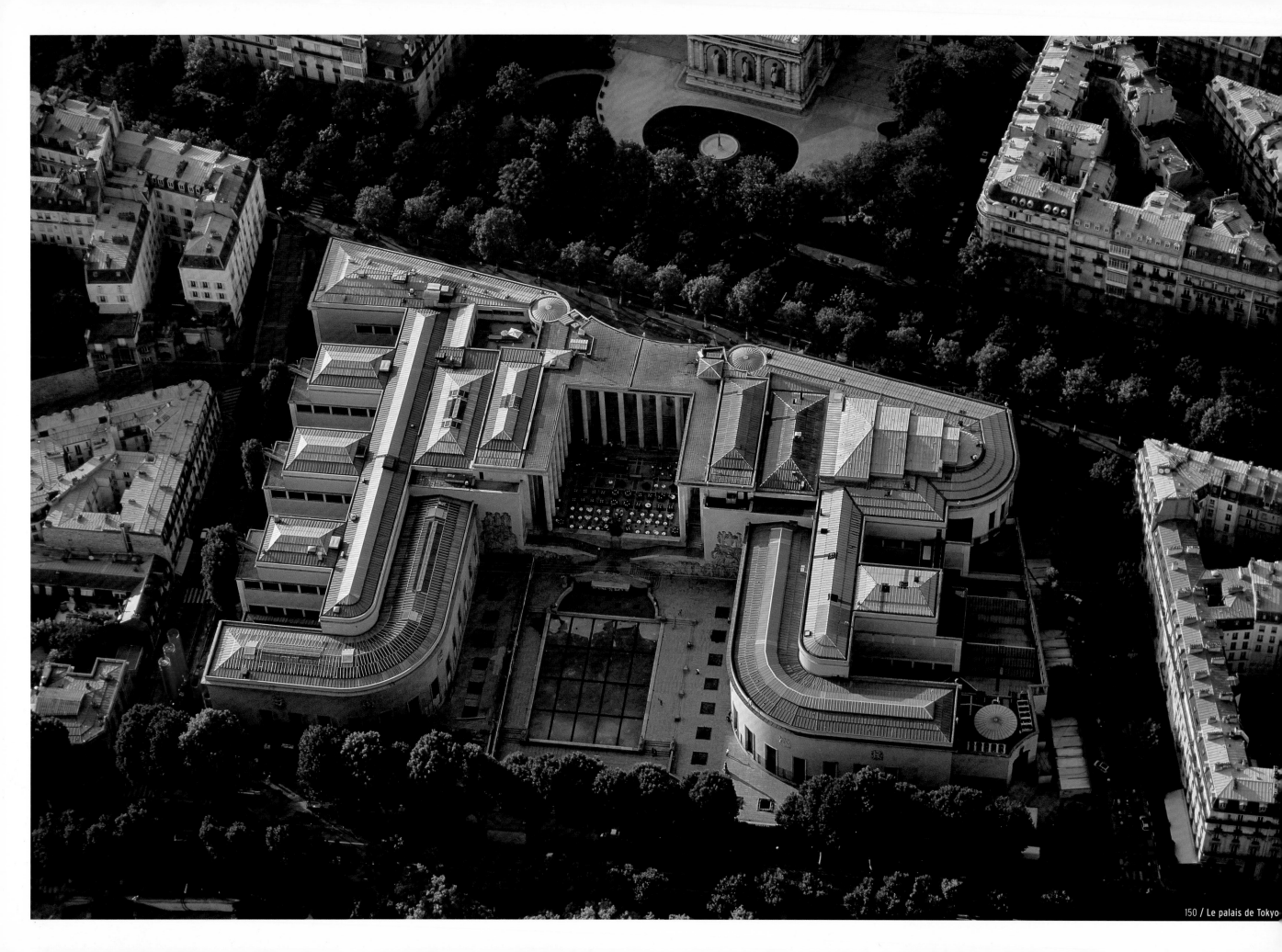

Page 144 / Le musée du Quai-Branly.

Dernier né des grands musées parisiens, le musée des Arts premiers est l'œuvre de l'architecte français Jean Nouvel. Celui-ci a reçu en 2007 le prestigieux prix Pritzker, considéré comme le prix Nobel de la discipline. Hissé sur des pilotis, ce bâtiment piqueté de boîtes de couleur, ménage en rez-de-chaussée un jardin signé par le paysagiste Gilles Clément. Un mur végétal, spécialité de Patrick Blanc, en orne la façade sur le quai. Un long mur de verre transparent suit la courbe de la chaussée côté Seine afin de conférer à l'ensemble du bâtiment une inscription en douceur dans le contexte urbain. L'intérieur du musée surprend par son aspect de grotte rouge sombre. Il est accessible à partir d'une longue rampe, véritable fleuve Amazone en réduction pour amateurs d'arts primitifs. Sous l'architecture moderne, l'envoûtement.

Page 145 / Le musée du Quai-Branly.

Depuis des années, le paysagiste Patrick Blanc « plante » de par le monde des jardins à la verticale. Prouesse agronomique, il réussit à alimenter en eau des espèces végétales qui peu à peu constituent de magnifiques tableaux vivants. C'est le cas au musée du Quai-Branly où le mur de verdure est particulièrement imposant. Œuvre mouvante, ces plantations « à l'équerre » donnent des résultats imprévisibles car les essences se marient, les racines s'entremêlent, les floraisons se bousculent. Déjà, à la Fondation Cartier, boulevard Raspail, Patrick Blanc était venu dresser l'un de ses jardins verticaux dans un bâtiment signé par Jean Nouvel. Cette fois au Quai-Branly, ce qui surprend, c'est l'échelle de l'expérimentation. Le résultat dépasse les espérances de ses promoteurs. Pour une fois, nature et culture font bon ménage.

Page 146 / La tour Eiffel.

La tour Eiffel, emblème et véritable logo de la ville de Paris, et au-delà de la France tout entière, est née dans la douleur. Des personnalités diverses dont certaines de premier plan s'opposèrent à l'érection de ce monstre de métal froid. Charles Gounod, Charles Garnier, Alexandre Dumas fils, Sully Prudhomme, Guy de Maupassant signèrent une lettre de protestation en 1887. Déjà, le débat sur les édifices de grande hauteur agitait la capitale. Par chance, Gustave Eiffel est parvenu à ses fins et aujourd'hui, la Grande Dame, comme est surnommée la tour en raison de sa forme élancée, émerveille les foules. Revêtue depuis quelques années d'une somptueuse parure de lumière, elle s'anime, scintille et frisonne à la nuit tombée.

Page 147 / La tour Eiffel.

La tour Eiffel est l'un des sites et monuments les plus appréciés de France : 236 millions de personnes en ont fait l'ascension depuis son inauguration. Elle est aussi le monument payant le plus visité au monde. Clou de l'Exposition universelle de 1889, elle eut pour objet de saluer dans la prouesse technique le centième anniversaire de la Révolution française. Jusqu'à la construction du Chrysler Building de New York en 1930, elle fut l'édifice le plus haut du monde. Il faut gravir 16 656 marches pour en atteindre le sommet. Une antenne relais de télévision la coiffe. Gustave Eiffel avait prévu une oscillation de 70 cm à son sommet, l'acier se dilatant et se rétractant en fonction des variations du climat. Lors de la canicule de 1976, elle a connu sa plus forte amplitude d'oscillation : 18 cm. Sa hauteur totale est de 325 m, antenne comprise.

Page 148 / Le palais Galliera.

Dessiné dans un pur style Renaissance italienne mais doté d'une structure métallique signée par Gustave Eiffel, le palais Galliera date de 1894. Dès son origine, il fut dédié à la présentation d'œuvres d'art. Aujourd'hui, il abrite le musée de la Mode et du Costume. Il constitue avec les Arts décoratifs, situé rue de Rivoli, un pôle où s'affirme la prédominance de Paris dans les domaines de la mode et de la couture. Plus de 10 000 pièces, vêtements et accessoires, en constituent les collections. Elles englobent tout autant les crinolines que les jeans et les boléros strassés. Une magnifique collection d'estampes et de photographies s'y ajoute et constitue pour les chercheurs et « renifleurs » divers, une mine d'inspiration.

Page 149 / En amont depuis la tour Eiffel.

Cette image montre bien la courbe que suit la Seine dans Paris. On y voit aussi l'ancien bras du fleuve, asséché et devenu depuis un boulevard (large trouée à gauche). Cette autoroute aquatique rappelle que Paris est également un port certes bien éloigné de la mer. Pour cette raison, l'architecte Antoine Grumbach, consulté pour la définition du Grand Paris, le Paris futur, soutient que la ville doit renouer avec son port de mer. Il suggère d'unir en une seule localité le territoire allant de Paris au Havre et qui englobe Rouen. « Toutes les grandes capitales d'aujourd'hui sont des ports », plaide-t-il. Et de citer à l'appui de sa thèse, l'historien Jules Michelet qui écrivait au XIXe siècle : « Je rêve d'une ville s'étirant de Paris au Havre et dont la Seine serait la grande rue. »

Page 150 / Le palais de Tokyo.

Édifié en 1937, le palais de Tokyo concentre dans ses deux ailes deux des plus importants centres d'art de Paris. L'aile située à droite sur la photographie abrite le musée d'Art moderne dont les collections permanentes se doublent d'expositions temporaires. *La Fée Électricité*, fresque monumentale réalisée par Raoul Dufy la même année, en occupe une salle entière. Elle fut lors de sa création la plus grande fresque au monde. L'autre aile du bâtiment accueille aujourd'hui des artistes plus expérimentaux. Réhabilité par le duo Lacaton-Vassal, Grand Prix national d'architecture 2008, le bâtiment est à présent une œuvre en soi. Les architectes l'ont laissé dans son « jus » de chantier avec béton strié, tranchées apparentes et luminaires minimalistes. Le restaurant très design reçoit le public jusque tard dans la nuit. Il contribue à faire de ce lieu un espace vivant.

Page 151 / Le Trocadéro.

Le Trocadéro tient son nom d'une victoire des armées françaises. En 1823, elles enlevèrent le fort du Trocadéro qui défendait le port de Cadix. La magnifique fontaine de Varsovie édifiée par Roger-Henri Expert en 1937 déroule ses bassins en cascade vers la Seine. Ses canons à eau forment cinquante-six gerbes qui finissent leur course dans huit escaliers d'eau. Tout autour, s'élèvent nombre de sculptures. Le dénivelé de cette pièce urbaine lui vaut d'être aujourd'hui un « spot » d'amateurs de patins à roulettes et autres adeptes de la glisse.

Ci-contre / Palais de Chaillot.

La déclaration des Droits de l'homme fut adoptée en 1948 sur le parvis du palais de Chaillot. Pour célébrer cette date, le président François Mitterrand a baptisé, en 1985, l'esplanade du palais de Chaillot, parvis des Droits de l'homme. Une dalle scellée y rappelle la formule célèbre : « Les hommes naissent et demeurent libres et égaux en droits ». Depuis, cette place est devenue le centre de rassemblement de tous les groupes désireux de faire entendre leur voix. Défenseurs de minorités discriminées de par le monde, militants activistes antidictature, pacifistes... Au-delà de sa vocation à réveiller les consciences, le site offre aussi un panorama à couper le souffle. Juste en face du Trocadéro se dresse la tour Eiffel et au-delà s'étire une bonne partie de la ville.

Page 154 / L'Arc de Triomphe.

« L'Europe est peuplée d'arcs de triomphe simultanés dont la somme est nulle », disait Paul Valéry. Rude constat. Chaque nation honore ses victoires et l'arc de triomphe de la place Charles-de-Gaulle, inauguré en 1836, au cœur d'un système de voies rayonnantes en étoile, ne manque pas à ce devoir. Chaque fin d'après-midi, une délégation d'anciens combattants vient rallumer la flamme du soldat inconnu. Chaque pilier est orné d'une sculpture, la plus célèbre, de Rude, flanquant le pilier droit est surnommée « La Marseillaise ». Des bas-reliefs mettent en scène les grandes batailles révolutionnaires et napoléoniennes. Le bâtiment haut de 53 m est accessible par un souterrain, car traverser la place en surface, en slalomant entre les voitures, constitue une prise de risque insensée. De sa terrasse, la vue sur Paris et les Champs-Élysées est exceptionnelle.

Page 155 / La place de l'Étoile.

La place Charles-de-Gaulle, ex-place de l'Étoile, « giratoire » géant, fut dessinée par l'architecte Jacques Hittorff à la demande du baron Haussmann, préfet de Paris. Ce fut ici qu'en 1907, on réglementa pour la première fois le sens des véhicules en leur imposant de tourner autour de l'Arc de Triomphe dans le sens contraire des aiguilles d'une montre.

Page 156 / L'église Saint-Augustin.

L'église Saint-Augustin peut être fière d'avoir été bâtie par Baltard, l'architecte des pavillons des Halles (aujourd'hui détruits). Lors de son inauguration en 1871, elle était le plus grand édifice à ossature métallique jamais construit. À l'intérieur, on peut remarquer les colonnes en fonte. Elle trouve sa place au carrefour de plusieurs avenues tracées par le préfet Haussmann. Les divers petits squares qui la bordent résultent de ce nouvel urbanisme. Le rattrapage des pentes, la complexité du placage d'un tracé nouveau sur un Paris ancien a laissé des bandes de terrain inoccupées. Alphand, l'homme des parcs et jardins d'Haussmann, sut les convertir en micro espaces verts. Sur la droite de l'église, se dresse le très intéressant immeuble du Cercle national des armées édifié par Charles Lemaresquier et inauguré en 1928. Les statues en façade représentent le Turc, le Poilu, le Marin et le Cuirassier.

Page 157 / La chapelle expiatoire.

Situé juste en retrait de l'agitation du boulevard Haussmann, le petit square Louis XVI dissimule à la vue des passants l'un des monuments les plus secrets de Paris : la chapelle expiatoire. Édifiée entre 1815 et 1826 par Pierre-François Léonard Fontaine, auteur également de l'arc de triomphe du Carrousel, elle célèbre la mémoire du roi Louis XVI et de Marie-Antoinette dont les corps furent exhumés à cet endroit.

L'édifice de taille modeste emprunte à l'Antiquité et aux monuments de la Rome classique avec son plan carré, sa coupole et ses demi-coupoles éclairées par des oculi. Deux groupes sculptés mettent en scène le roi et la reine. Ce petit temple, chef-d'œuvre de la période dite Restauration, se visite l'après-midi. Il est parfois le point de ralliement des royalistes français.

Page 158 / Le parc Monceau.

Marcel Proust y poussa son cerceau et l'ambiance début de siècle de À la Recherche du temps perdu imprègne toujours les allées verdoyantes du parc Monceau. Du jardin originel, pré-révolutionnaire, subsistent quelques folies : une pyramide, un pont, une grotte. Un pavillon édifié par Ledoux pour marquer la barrière des Fermiers Généraux se tient toujours debout, droit sur son péristyle à 16 colonnes. Des statues d'hommes célèbres comme Maupassant veillent d'un œil éteint sur les joggers qui ont fait du parc leur cendrée. Un tour complet équivaut à 1 000 m environ, de quoi parfaire son entraînement et gagner en vigueur. Spécimen de jardin à l'anglaise, celui-ci fut magnifié par Alphand, le jardinier du baron Haussmann. Tout autour, de splendides hôtels particuliers bénéficient de petits jardins privés. Certaines de ces résidences se visitent aujourd'hui. C'est le cas du musée Nissim de Camondo, reconstitution d'une demeure aristocratique du XVIIIe siècle, et le musée Cernuschi aux si belles collections d'art chinois.

Page 159 / La gare Saint-Lazare.

La gare Saint-Lazare qui dessert la Normandie a connu de nombreuses extensions réalisées souvent à l'occasion d'une exposition universelle. Sa particularité est d'avoir vu s'édifier, en 1889 et sur son parvis, l'hôtel Terminus. La présence de ce bâtiment dissimule le fronton de la gare aux usagers qui l'abordent. Face à la gare, se tient toujours la brasserie « Mollard », exemple remarquable de décor « café société », représentatif des fastes de la Belle Époque. Niermans, son architecte, fut également celui du palace Negresco à Nice. À l'ouest, derrière la gare, se développe le quartier de l'Europe dont toutes les rues portent le nom d'une ville (Naples, Amsterdam, Moscou...). La gare Saint-Lazare est raccordée au réseau du RER (Réseau express régional). Les foules qui l'empruntent chaque jour constatent avec aigreur qu'elle est aujourd'hui au bord de la saturation.

Page 160 / L'église de la Sainte-Trinité.

L'église de la Sainte-Trinité est due à l'architecte Théodore Ballu. Elle fut édifiée à la demande du préfet Haussmann. Contemporaine de l'église Saint-Augustin, elle fut achevée en 1867, et accueillit deux ans plus tard les obsèques du

compositeur Hector Berlioz. Sa façade s'inspire largement de la Renaissance italienne. Le système des niches rappelle celui de Saint-Jean-de-Latran à Rome. Le clocher est à l'image des beffrois de la Renaissance française et partout la symbolique du chiffre 3 (la Trinité) est mise à contribution. On trouve ainsi trois fontaines à triples vasques... Plus haut, en allant vers Montmartre, s'étend le secteur du IXe arrondissement baptisé « Nouvelle Athènes ». Les rues y sont souvent austères, dépourvues de tout commerce.

Page 161 / L'église de la Sainte-Trinité.

L'explosion de l'Art nouveau à la veille du XXe siècle tire en partie son origine de cette architecture, et plus exactement de son rejet. L'époque étouffait alors sous l'éclectisme. Le moindre fauteuil racontait l'histoire de France et le clocher de l'église de la Sainte-Trinité fait de même. Il déborde de réminiscences discutables, de citations pseudo-historiques. Surajouts, festonnage, zigouigouis décoratifs... tout est bon pour donner à un bâtiment récent, l'illusion de la longue histoire. « L'époque, écrivait alors un critique d'art, était à vomir. » Voilà pourquoi, de cette accumulation de détails empilés, a jailli une esthétique florale magnifiée par Hector Guimard en France et Antonio Gaudi à Barcelone. L'Art nouveau, ce fut d'abord le rejet de cet art ancien factice et boursouflé.

Page 162 / Montmartre.

« La Butte Rouge c'est son nom l'baptême s'fit un matin / Où tous ceux qui montaient roulaient dans le ravin. / Aujourd'hui y'a des vignes, il y pousse du raisin. / Qui boira d'ce vin là, boira l'sang des copains. » La chanson, que Montéhus écrivit sur l'un des épisodes de la bataille de Somme, servit longtemps à rappeler l'amertume des communards vaincus en 1871 et dont les amis périrent sur la butte Montmartre. La paix revenue, on planta, ici aussi, des vignes sur le champ de bataille. En vérité, la colline avait connu des vendanges à l'époque médiévale et ensuite. Mais la construction du Sacré-Cœur lança la spéculation immobilière et les vignes furent immolées. « Le clos Montmartre », anecdotique cépage parisien, subsiste aujourd'hui à titre folklorique. Tant mieux, car on le décrivait autrefois comme une « piquette » aux vertus diurétiques. Un dicton affirmait d'ailleurs : « Qui boit une pinte en pisse quatre ».

Page 163 / Le cimetière de Montmartre.

Le cimetière de Montmartre, ouvert en 1825, s'est implanté sur les anciennes carrières de gypse dont Paris a largement fait usage. Jusqu'alors, le terrain servait surtout de sépulture aux plus démunis. On les couchait là dans des fosses communes. Du point de vue topographique, ce labyrinthe présente bien

des similitudes avec le cimetière du Père-Lachaise. Pourtant, c'est au cimetière Montparnasse que l'on songe en parcourant cette nécropole vallonnée. L'un et l'autre sont les favoris des célébrités défuntes. Hector Berlioz, Georges Feydeau, Édouard Degas, Jacques Offenbach mais aussi Sacha Guitry, Louis Jouvet, Jean-Claude Brialy. Le cénotaphe d'Émile Zola y trône toujours, bien que les cendres de l'écrivain aient été depuis transférées au Panthéon. La tombe de la chanteuse Dalida y est l'objet d'un culte particulièrement fervent.

Ci-contre / La basilique du Sacré-Cœur.

Du point de vue architectural, la basilique du Sacré-Cœur s'inspire de Sainte-Sophie d'Istanbul et de la basilique San Marco de Venise. À l'évidence, elle n'a ni la beauté ni la grâce de l'une et l'autre même si son décor intérieur peut être qualifié de romano-byzantin. Nonobstant, sa situation exceptionnelle lui vaut sa renommée. De son parvis, l'œil embrasse Paris, et la toute proche place du Tertre, avec ses « faux » peintres, attire les touristes.

Promenade architecturale

Si *Paris est une fête*, affirmait en 1964 Ernest Hemingway dans son auto-biographie, l'architecture contemporaine, elle, n'a pas toujours été à la fête à Paris. Un conservatisme farouche préside aux transformations urbaines, et c'est compréhensible. Le patrimoine parisien est d'une telle qualité, d'une telle densité, d'une telle unité surtout, qu'on ne voit jamais d'un bon œil atterrir un mastodonte. Les édiles parisiens sont frileux car ils savent que le monde entier voit en Paris le décor préservé des romances idéales. Ils s'en voudraient d'être suspectés d'y porter atteinte en laissant s'édifier dans l'axe d'un monument vénérable une tour de bureaux, un glacis de logements biscornus, une supérette aux néons flashy.

Il faut reconnaître à ces élus circonspects des circonstances atténuantes. Deux ou trois bâtiments nés au siècle précédent gâtent l'œil et font tache. En premier lieu, la tour Montparnasse. Dressée dans sa solitude au cœur d'un quartier hier célébré pour ses académies de peinture et son esprit bohème, elle concentre les rancœurs. Sa couleur brunâtre, sa silhouette sans génie lui valent de solides détestations publiques. À l'ouest, le Front de Seine est un affront véritable. Quant à l'est, le ministère des Finances de Bercy s'impose telle une impressionnante allégorie des pesanteurs fiscales. Bref, tout cela est regrettable car Paris s'englue quand le monde change. De nos jours en effet, l'attrait pour l'architecture contemporaine est devenu une solide raison de voyager et les amateurs de villes qui courent à Barcelone pour contempler les œuvres de Gaudí y vont aussi pour découvrir la tour Agbar édifiée par Jean Nouvel. Gageons qu'ils iront demain à Abou-Dhabi visiter l'île des Musées où se côtoieront les bâtiments dessinés par Frank Gehry, Jean Nouvel, Sir Norman Foster et Zaha Hadid... Paris devrait en tenir compte et s'autoriser plus souvent la construction d'un bâtiment susceptible d'attirer le chaland.

Hélas, la vieille tradition révolutionnaire nationale, qui veut que la rue ait toujours un peu raison contre les élus du peuple, confère aux associations de quartier un poids considérable. Ces regroupements de citoyens hostiles aux nouveautés servent toujours d'alibi aux partisans de l'inaction. Qu'il s'agisse de l'édification des tours ou de la restructuration des Halles au centre de la capitale, on ne cesse d'entendre mugir la rage anti-moderne des riverains. Ce populisme a bon dos car il s'agit en vérité d'une confiscation du territoire public par quelques-uns. Pourquoi diable faut-il que les habitants d'une rue s'arrogent le droit d'en disposer plus que ceux qui l'empruntent ? Oser moderniser la ville, c'est aussi concevoir qu'elle appartient à tous.

Voilà pourquoi il faut saluer les rares initiatives qui bouleversent le paysage. Grâce à elles, la ville tente d'échapper par soubresauts à sa léthargie. Le Centre Pompidou, outillé de toutes ses tuyauteries et traité de vile plate-forme pétrolière à ses débuts en 1977, a fini par se faire accepter par les Parisiens et même plébisciter. Plus récemment, la Fondation Cartier de Jean Nouvel boulevard Raspail a suscité l'enthousiasme. À l'évidence, l'architecture contemporaine emplit de fierté les foules quand l'arrogance ne s'y trouve pas seule en majesté. Quand Francis Soler a enveloppé d'une dentelle de métal le ministère de la Culture, 182, rue Saint-Honoré, on a crié au scandale. À présent, des foules viennent admirer, avec stupeur parfois, cette arachnéenne cascade ajourée.

Seul le retour en grâce du décoratif a rendu son édification possible. Les redoutés architectes travaillant pour la Ville de Paris, d'ordinaire affolés par les innovations, s'accommodent aujourd'hui des surcharges en façade. La résille de Soler, les spaghettis de métal de Michele Saee pour le drugstore Publicis, 129-133, avenue des Champs-Élysées, la boursouflure fluo verte, ce lombric géant censé symboliser un jardin vertical, de l'institut de la Mode et du Design au 36, quai d'Austerlitz (Dominique Jakob et Brendan MacFarlane), toutes ces bizarreries sont validées. Le sont aussi les élucubrations remarquables de ce singulier architecte qu'est Frédéric Borel. Ses bâtiments ressemblent à des jeux de construction, et sa faculté d'architecture, sise en bord de Seine dans le XIIIᵉ arrondissement, a des accents constructivistes russes, de faux airs de mikado.

La Seine, paradoxalement, est de tous les secteurs protégés de la capitale celui qui s'accommode de toutes les audaces. Un véritable corridor de musées s'y est développé au fil des années, offrant à tous comme une galerie d'architectures contemporaines. L'Institut du Monde arabe (Jean Nouvel, Architecture Studio), le musée du Louvre et sa pyramide (I. Ming Pei), les Petit et Grand Palais restaurés, le musée d'Orsay, le musée d'Art moderne, le palais de Tokyo, rénové à la hussarde en semi-destroy (Anne Lacaton, Jean-Philippe Vassal), le musée Guimet dont l'escalier intérieur est une splendeur (Henri Gaudin), la Cité de l'architecture place du Trocadéro, enfin le musée du 27-51 quai Branly (Jean Nouvel), voilà un palmarès auquel on aura soin d'ajouter la sublime passerelle Simone-de-Beauvoir (Dietmar Feichtinger) tirée entre les quatre tours de la Bibliothèque de France (Dominique Perrault), rive gauche et le parc de Bercy, rive droite. La franchir permet d'en mesurer l'élégance et la subtilité.

D'autres édifices sauvent Paris de la morosité. Et d'autant plus que les architectes, résolus à desserrer le carcan qui les brime, usent quelquefois de l'ironie. L'hôtel Fouquet's-Barrière a ainsi été restructuré de manière pasticho-médiévale par le facétieux Édouard François. Il offre une façade arrière qui vaut le détour (2, rue Vernet) car elle copie la façade noble de l'hôtel dressée sur les Champs-Élysées, mais dans une version grossie comme à la photocopieuse. Teinte en gris destroyer, elle surprend, et le respect imposé du patrimoine prend alors des allures de farce. Pour demeurer dans le registre maritime, on en profitera pour visiter le navire amiral de la marque Louis Vuitton situé juste en face. L'imbrication de l'architecture cousue main et des œuvres d'artistes comme James Turrel s'y expose en majesté. Cette boutique géante est aujourd'hui l'un des « monuments » les plus visités de Paris. À cette liste s'ajoutera demain la Fondation Louis Vuitton pour la création que bâtit actuellement Frank Gehry dans le bois de Boulogne. La présence de signatures, de star-architectes, de « starchitectes », est devenue une nécessité pour les villes désireuses de capturer les flux touristiques. Effet de mode ? Assurément, mais Paris n'est-elle pas capitale de la haute couture ? Or, l'architecture n'est jamais que de l'enveloppe, du vêtement en très grande taille en quelque sorte.

Demain, si le Grand Paris se réalise, si la coupure Paris-banlieue s'évanouit, nous aurons droit peut-être, nous aussi, à nos quartiers de gratte-ciel. Non plus des collections d'objets sculpturaux tristement hissés sur des dalles, mais des quartiers denses où les immeubles de grande hauteur regrouperont bureaux, logements, commerces, cinémas, équipements. L'avenir est à la mixité des populations et des activités. Pour que Paris, ville au décor encensé, finisse par y verser, il faudra alors beaucoup de talent, d'argent, et de l'audace à tous les étages.

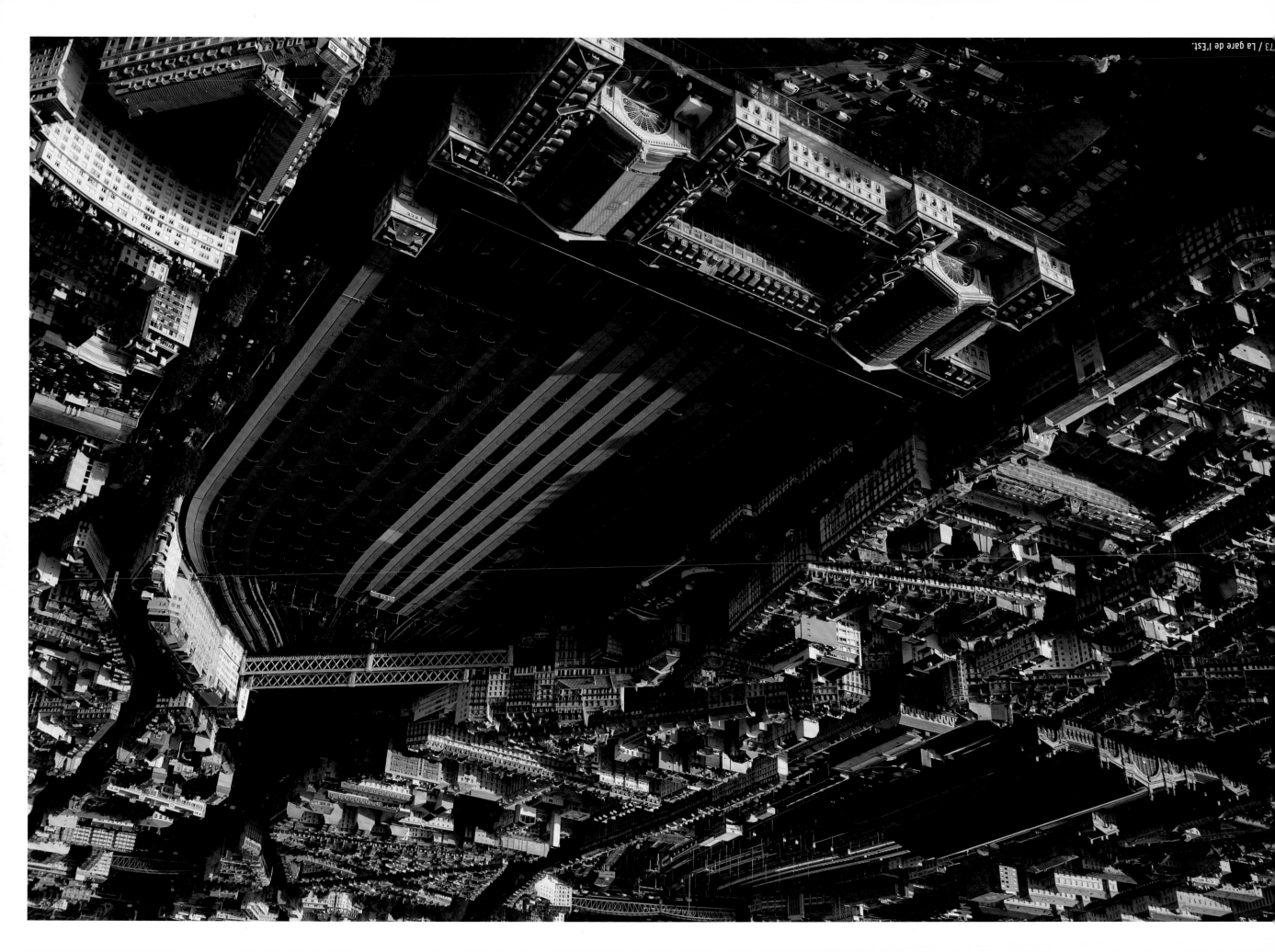

Page 166 / La butte Montmartre.

Isolée du reste de Paris par ses pentes, la butte Montmartre est un quartier à part. Vivre aux Abbesses, c'est faire partie d'un club. De toute part, la vue embrasse Paris et nombreux sont les logements minuscules à jouir d'un panorama. Il est parfois si vaste que la moindre soupente s'en trouve transformée en donjon de château. Depuis quelques années, les « bobos », bourgeois bohèmes, ont fait des petits dans le secteur. La rue Lepic aligne à présent ses restaurants et ses cafés « in », toujours mâtinés d'une touche « artiste fauché ». Même quand le café frôle les 3 euros, il est bon de le déguster dans un jean usé, des chaussures qui bâillent, le plastron constellé de taches suspectes. La place des Abbesses, il est vrai, est magnifique. La station de métro Guimard, l'église en béton armé recouverte de briques et d'émaux, signée par Anatole de Baudot et dont l'expérimentation constructive « Art nouveau » suscita la réprobation générale, tout cela confirme que ce quartier fiché dans les cimes possède une étrangeté singulière.

Page 167 / Le Sacré-Cœur.

La basilique du Sacré-Cœur édifiée en haut de la colline de Montmartre (mot qui signifierait « mont des Martyrs ») est un monument cultuel dont la création demeure sujet de polémique. Elle fut en effet bâtie en expiation des crimes spirituels commis par les Français et principalement ceux des communards de 1871. Depuis, une partie de la gauche militante laïque et révolutionnaire vilipende ce bâtiment revanchard.

Page 169 / Le Sacré-Cœur sur la butte Montmartre.

Autrefois, et à date fixe, les poids lourds de la vie parisienne, au sens propre comme au figuré, se réunissaient au bas de la rue Lepic. Écrivains, chansonniers, comiques patientaient, lorgnant d'un air ravi la rue fort pentue qui les dominait. Et puis, ils montaient dans l'autobus. Et chaque année, le « club des cent kilos » réitérait sa bonne blague. Le moteur soufflait, les amortisseurs s'avachissaient, les vitres entraient en transe et le chauffeur déconfit mais hilare jetait l'éponge. La butte Montmartre avec ses ruelles en cascade exigeait de ses visiteurs qu'ils fissent au moins un régime. De nos jours, les moteurs ont gagné en puissance et les obèses sont partout. On ne rit plus de la butte, on l'escalade sans y penser. C'est dommage. La gravir relevait hier de l'exploit, c'était un Everest à domicile et pour le conquérir il fallait des mollets et du cœur et même un sacré cœur.

Page 170 / Rue Marcadet.

Le long de la rue Marcadet, se dresse un véritable lacis de logements « ouvriers ». Ils furent édifiés par les philanthropes de la fondation Rothschild. Ce vaste ensemble de briques et de meulière, à l'architecture chantournée et pleine de détails pittoresques, se développe au fil de cours successives. Par leur style, les immeubles s'apparentent aux HBM (habitations à bon marché), devenues les habitations à loyer modéré (HLM), dont les plus beaux exemples se rencontrent au long des boulevards extérieurs. Ces cités germèrent sur la « zone », le territoire *non ædificandi* qui ceinturait Paris jusqu'à la Seconde Guerre mondiale.

Page 171 / Rue Marcadet.

Telle une citadelle, les logements sociaux de la rue Marcadet s'étendent sur quatre îlots. Accessibles par des portails surveillés par des gardiens, ils ne cachent pas leur volonté de faire masse, de s'ériger en forteresse. Ils sont ainsi les dignes représentants d'une architecture sociale qui ne craignait ni la ségrégation ni le regroupement des couches populaires. Ils sont encore les témoins de la rencontre stylistique d'une préoccupation hygiéniste et d'une volonté de grandeur prolétarienne. Cet habitat collectif mélange avec succès les oripeaux de la « vie de château » et les détails croustillants de la villa « Sam'suffit ».

Page 172 / La gare du Nord.

La présence dans Paris des grandes gares, en particulier de la gare du Nord et de la gare de l'Est, comme on le voit ici, est source de sentiments contradictoires. Bien sûr, elles sont avant tout d'importants facteurs d'animation. Les foules, qui s'y déversent chaque jour, viennent y gagner les autres types de transport connectés au réseau ferré (métro, bus...), dynamisent les commerces de proximité, créent une agitation bénéfique et permanente. Pourtant, dans le même temps, ces gares aggravent les embarras urbains, circulation chaotique, embouteillages, pollution. Aussi, architectes et urbanistes reviennent-ils à la charge à date régulière. À les entendre, il faudrait sortir les gares de Paris, les repousser aux limites de la cité. La capitale y gagnerait sans doute en fluidité mais quelle perte de charme et d'authenticité ! Le projet semble irréel. Il se pourrait néanmoins que par souci de « développement durable », il devienne réalité.

Page 173 / La gare de l'Est.

La gare de l'Est est le point focal de la grande voie ouverte par le préfet Haussmann à partir de la place Saint-Michel en direction du nord de Paris. Longtemps, elle fut rivale de la gare du Nord. Quand les Eurostars gagnaient Londres en moins de 3 heures et les Thalys, Bruxelles en 1 heure 20, les trains à l'ancienne bringuebalaient plus de 4 heures pour relier la capitale à Strasbourg. Depuis peu, tout cela est oublié. Et les trains à grande vitesse, les TGV, filent aussi de la gare de l'Est. Les deux gares ont fait l'objet d'un important « lifting », aménagement des abords, nouvel éclairage, plans de circulation améliorés. Il n'empêche, chacune conserve son attrait architectural. Le décor des façades date du milieu du XIXᵉ siècle. Les sculptures symbolisant les villes desservies par les lignes et les fresques murales abondent.

Ci-contre / L'hôpital Saint-Louis.

Fondé sous Henri IV pour soigner les malades contagieux, l'hôpital Saint-Louis tient son nom du roi Louis IX mort de la peste (en réalité de dysenterie) devant Tunis en 1270. Spécialisé dans les maladies infectieuses, il fut en son temps installé hors les murs de la ville de Paris. À cette époque, toutes les fièvres se mêlaient et demeuraient pour la plupart inexpliquées. Rien que pour l'épidémie de peste de 1562, le registre de l'Hôtel-Dieu, sis dans l'île de la Cité, fait état de 68 000 victimes ! Les bâtiments anciens de l'hôpital furent édifiés à la même époque que la place des Vosges et ils reprennent les grandes lignes, place carrée et façades uniformes. Depuis, la capitale a avalé tout le quartier et bien au-delà. D'autres sections de l'hôpital plus modernes ont été construites, dont une bonne partie en sous-sol pour laisser dégagé le bâtiment historique.

Page 176 / Le temple de la Sibylle, Buttes-Chaumont.
L'île du Belvédère émerge du lac des Buttes-Chaumont.
Le temple de la Sibylle qui le coiffe fut édifié par Gabriel
Davioud sur les plans du temple de la Sibylle de Tivoli,
au nord-est de Rome. Bâti dans le pur style des rocailleurs,
le belvédère est accessible par deux ponts dont l'un fut
surnommé « des suicidés » eu égard au nombre de désespérés
qui s'en jetèrent. Une cascade de 32 m en chute. Le parc fut en
grande partie édifié sur des carrières de gypse et de meulière.
De nombreuses galeries courent encore dans ses sous-sols.
Les adeptes de la nécromancie, les spirites du dimanche et
les farfelus divers l'ont pour cela élu comme site privilégié de
leurs activités occultes.

Page 177 / Les Buttes-Chaumont.
Dessiné par Jean-Charles Alphand, le grand jardinier du baron
Haussmann, le parc des Buttes-Chaumont (contraction
des mots « chauve » et « mont », *calvus* et *mons* en latin) est
un lieu plein de mystères et de surprises calculés. L'usage de
la perspective à la française fut abandonné ici au profit
d'une organisation rousseauiste du paysage. Tumulus, allées
courbes, ombres et massifs. Dans les anciennes carrières,
Alphand fit ainsi bâtir une fausse grotte décorée de tout aussi
fausses stalactites. Avant d'être transformé en un lieu de
promenade, cette colline escarpée, aujourd'hui encore bordée
par les restes du chemin de fer de la petite ceinture, servait
de dépotoir. On y jetait les cadavres de chevaux.

Page 178 / Parc de Belleville.
L'écho des voix rocailleuses de la Môme Piaf (Édith) et de
Maurice Chevalier flotte toujours sur la colline de Belleville.
Le quartier était situé hors les murs avant l'extension de Paris
au XIXᵉ siècle. Ce secteur fut toujours celui des immigrés, juifs,
arabes et maintenant chinois. Tout un peuple de casquettiers,
de tailleurs, d'ouvriers se mêlait à Belleville, et la colline fut
longtemps synonyme de pauvreté et de gouaille. Une bonne
partie de son territoire a échappé aux bulldozers qui, dans
les années 1960, mirent à mal un ensemble urbain, certes
vétuste mais plus réjouissant que les tours et les barres
qui le remplacèrent. Enclave préservée, le parc de Belleville
est riche de 1 200 arbres plantés à flanc de pente. C'est
un poumon qui culmine à 108 m. Depuis quelque temps,
de nombreux cafés et restaurants à la mode s'ajoutent
au décor champêtre.

Page 179 / La « Campagne à Paris ».
Derrière les façades, perpendiculairement à l'alignement
des rues, parfois dans une encoignure, prennent naissance
des ensembles de maisons que l'on dénomme « villas ». Près
de la porte de Bagnolet, au fil du boulevard Mortier, s'étend
ainsi une sorte de village préservé : la Campagne à Paris.
Ce magnifique ensemble achevé en 1926 est constitué de
maisons en meulière édifiées au long de ruelles courbes.
Celles-ci montent à l'assaut de la colline. Des escaliers un peu
raides y servent aussi de chemin de traverse. Ces enclos
dans Paris, cités-jardins secrètes, se dissimulent au regard
des visiteurs inopportuns. Y pénétrer, c'est reculer de deux
siècles et retrouver l'atmosphère d'un Paris disparu qui,
pourtant, perdure.

Page 180 / Le cimetière du Père-Lachaise.
Situé sur une vaste colline boisée, le cimetière du Père-
Lachaise constitue l'un des plus beaux parcs de Paris. Certes,
il est recommandé d'y conserver une attitude respectable,
mais l'on peut s'enivrer au charme de ses allées ombragées.
C'est encore un musée de la sculpture à l'air libre. Les tombes
de célébrités y voisinent avec l'océan des sépultures élevées
à la mémoire d'anonymes. Le cimetière fut l'occasion de
combats acharnés durant la Commune en 1871.
Les révolutionnaires y installèrent leur artillerie, avant d'y être
écrasés. La mémoire des 147 prisonniers massacrés par
les versaillais est toujours célébrée par la gauche devant le mur
des Fédérés. On trouve encore un quartier dit des Maréchaux
d'Empire, où la fine fleur de l'armada napoléonienne est
enterrée. Le parc compte également un crématorium et
des centaines de chats.

Page 181 / Le crématorium du cimetière du Père-Lachaise.
Le cimetière du Père-Lachaise recèle un certain nombre de
tombes objets d'un culte particulier. L'une des plus visitées est
celle d'Allan Kardec, fondateur du spiritisme. « Naître et mourir
pour renaître encore telle est la loi. » Médiums et spécialistes
des tables tournantes aiment à s'y recueillir. L'autre tombe
vénérée est celle du leader des Doors, Jim Morrison. Loin de
toute esbroufe, de toute architecture dispendieuse, son carré
de terre est néanmoins adulé par des cohortes de fans et des
gardiens sont chargés de veiller à sa préservation par crainte
d'un vol de reliques ! Molière, Balzac, Colette, Auguste Comte,
Jean-Baptiste Corot, Pierre Dac, Édith Piaf, Yves Montand
et Simone Signoret, la liste est longue des personnalités ayant
choisi le Père-Lachaise comme dernière demeure. Il est
possible de se procurer un plan des cénotaphes illustres
à la guérite des gardiens, aux entrées Nord et Sud.

Page 182 / « Chinatown ».
Chinatown, c'est ainsi que les Parisiens ont baptisé le quartier
qui s'étire entre les avenues d'Ivry et de Choisy dans
le XIIIᵉ arrondissement, au sud de la capitale. En quelques
décennies, ce secteur a accueilli des vagues d'immigrés
asiatiques, Chinois, Vietnamiens, Laotiens... Quelques grands
magasins comme Tang Frères drainent les foules vers
les rayonnages de produits exotiques. Les restaurants sont
à touche-touche et le nouvel an chinois y est fêté dans
un déluge de pétarades et de dragons grimaçants. L'annuel
défilé de chars y est devenu un événement festif qui dépasse
de loin la communauté asiatique.

Page 183 / Les Olympiades.
La charge féroce des bulldozers et des pelleteuses a laissé
un goût amer aux habitants du quartier hier mis en scène
avec humour par l'écrivain de roman policier Léo Malet.
Nestor Burma, son détective privé, se perdait alors dans
le *Brouillard au pont de Tolbiac*, errait dans la rue du Dessous-
des-Berges. Aujourd'hui, c'est un déluge de tours et de barres
qui constitue le décor. La dalle des Olympiades est à ce titre
le point d'orgue d'un urbanisme qui n'a pas convaincu. Par
chance, les populations asiatiques habituées à ces grands
ensembles urbains sans âme ont su les faire vivre avec
un dynamisme exceptionnel. Grâce à elles, Paris compte son
petit Hong-Kong. Face aux Olympiades, il ne faut pas rater
l'intéressante faculté de Tolbiac (rue de Tolbiac) édifiée par
Andrault et Parat. Des cubes de verre accrochés à une tour de
béton. Brutaliste et puissant.

Page 184 / Dans le XVᵉ arrondissement.
Durant des années, le décoratif n'a pas eu bonne presse
auprès des architectes. Ils préféraient la blancheur des murs
et la pureté des lignes. Pourtant, dans les années 1970, le
carrelage et la céramique ont eu le vent en poupe. Des artistes
sont intervenus pour animer les sols comme ici, dans
cette cour d'immeuble, situé rue Modigliani dans le
XVᵉ arrondissement de Paris. La contemplation d'un visage
de femme adoucit-elle les mœurs ?

Page 185 / Dans le XVᵉ arrondissement.
Dans le même quartier, avenue Félix-Faure, un paon, dû à
Xavier Arsène-Henry, fait la roue enchâssé au centre d'un autre
dallage, cette fois hypnotique. Les teintes terreuses,
les cercles concentriques, l'effet de spirale, tout concourt au
surgissement d'une vision cosmogonique. Ersatz de mandala
oriental ou tracé des ciels successifs qui ceinturaient hier
la Terre, croyait-on ? En vérité, qui regarde quoi ? Les habitants
à leurs balcons, ou bien cet œil démesuré, espion rampant
invisible du piéton mais omniprésent pour qui s'élève.

Page 186 / Square.
Loin des squares dessinés par Alphand au XIXᵉ siècle, celui
situé à l'angle des rues Saint-Charles et Cauchy dans
le XVᵉ arrondissement affiche un caractère résolument
contemporain. Le long d'un mur de pierre, des stèles minérales
striées sont autant de fontaines. Une cage pour jouer au
basket et plus loin, un enclos ceint d'un mur de béton ajouré.
Il dissimule un petit jardin de curé. Les diverses essences
y poussent derrière un grillage. L'ensemble a des allures de
retraite zen.

Page 187 / Parc André-Citroën.
Les architectes Patrick Berger, Jean-François Jodry et Jean-Paul
Viguier se sont associés aux paysagistes Allain Provost et
Gilles Clément pour signer le parc André-Citroën. Ce dernier
a révolutionné sa discipline en se faisant l'apôtre d'un jardin
en mouvement, un jardin libre où les essences de diverses
origines se mêlent et se parasitent. Loin des « tartines » de
gazon et de l'aménagement floral en bandes, il préconise
un « fouillis » réfléchi, un espace vibrant dans lequel la nature
se développe sans barrière ni tuteur. En vérité, derrière
le discours de la nonchalance, se terre un travail redoutable.
Quant aux serres, elles prennent l'aspect de boîtes de verre.
Le site accueille encore une bambouseraie. Un ballon
accessible au public y prend son envol.

Ci-contre / La statue de la Liberté.
Longue de 890 m et large de 11 m seulement, l'île aux Cygnes
est une ancienne digue du port de Grenelle. Érigée en 1827,
elle sert aujourd'hui d'appui à trois ponts dont le pont
Bir-Hakeim célèbre pour ses deux étages, le supérieur étant
réservé au métropolitain. *Le Dernier Tango à Paris*, film
sulfureux de Bernardo Bertolucci (1972) avec Marlon Brando et
Maria Schneider, utilise à merveille ce décor parisien. Au bout
de l'île, se dresse une réplique de la Statue de la Liberté du
port de New York, réalisée par le sculpteur Frédéric Auguste
Bartholdi. Elle fut érigée en 1889, soit trois années après sa
grande sœur américaine. Elle fut offerte à la nation par
des Français résidant aux États-Unis. Cette longue bande
de terre plantée d'arbres est un lieu particulièrement
romantique, saisi entre deux bras de la Seine, animé sans
cesse par le passage des péniches et autres bateaux. Sur la rive
droite, se dresse l'imposante Maison de Radio France.

Page 190 / L'hôpital Georges-Pompidou.
L'ouest de la capitale a vu s'élever ces dernières années de nombreux bâtiments de bureaux à l'architecture parfois de grande qualité. C'est le cas de l'édifice qui abrita la chaîne de télévision Canal+, réalisé par le célèbre apôtre du Mouvement moderne américain, Richard Meier. Moins réussis sont les sièges de France Télévisions, rive gauche, et de TF1, sis de l'autre côté du périphérique, rive droite. Leurs façades de verre réfléchissant et leurs volumétries massives manquent de chaleur et d'expressivité. Édifié au ras d'une opération d'urbanisme contemporain également décriée (le Ponant, 1989), l'hôpital Georges-Pompidou, conçu par Aymeric Zublena, a lui souffert de ses retards. La technologie de pointe évolue si vite qu'entre un projet de centre de soins et sa réalisation, la copie est souvent à revoir. Néanmoins, l'hôpital est aujourd'hui un établissement de pointe.

Page 191 / Le Front de Seine.
L'urbanisme sur dalle n'est pas une réussite et le Front de Seine en témoigne. Les rez-de-chaussée dévolus aux parkings sont glauques. Pensé dans les années 1970, comme un nouveau quartier de tours modernes destiné à accélérer le développement de Paris vers l'ouest, l'ensemble a déçu. Hormis la tour Totem (d'Andrault et Parat), l'architecture des bâtiments est quelconque. La principale erreur a consisté à réglementer la hauteur des tours afin qu'elles soient toutes de la même taille (une centaine de mètres). L'effet dynamique né de l'émulation des tours entre elles comme la perception de la grande hauteur s'y sont perdus. Le Front de Seine a parfois été qualifié « d'Affront de Seine » par ses détracteurs et il est certain que ce demi-échec urbain n'a pas fait le lit de l'architecture contemporaine. Aujourd'hui à Paris, le débat sur les tours et les immeubles de grande hauteur est parasité par cet exemple fâcheux, auquel s'ajoutent la funeste tour Montparnasse et le glacial quartier Italie du XIIIᵉ arrondissement. Reste que depuis les bureaux ou les logements, on jouit d'une vue exceptionnelle sur Paris, la Seine, la Maison de la Radio et la tour Eiffel.

Page 192 / École, XVIᵉ arrondissement.
À deux pas de la Maison de la Radio, surnommée la « Maison ronde », cette école maternelle semble vouloir en être l'écho. Même architecture ovoïde, même répartition des activités en périphérie d'un vide central. À proximité des émetteurs, le toit de l'école se mue même en hélice. Pour voguer sur les ondes ?

Page 193 / Sur le boulevard Suchet.
L'îlot est un élément capital de la rue parisienne, de son urbanisme traditionnel. C'est ce qu'on appelle trivialement le pâté de maisons, dont le « bloc » new-yorkais est devenu une version standardisée. Au fil des siècles, l'évolution de l'architecture a peu à peu bouleversé cet ordonnancement de base. On est passé doucement de l'îlot à la barre d'immeubles. Ici, sur un boulevard extérieur (boulevard Suchet) dans l'ouest de Paris, un îlot préservé, toutefois singulier, car il est en vérité constitué d'un archipel de trois petites îles, il est morcelé. Voilà un exemple précoce de ce que les théoriciens appelleront, bien plus tard, une architecture de la déconstruction.

Page 194 / Le réservoir de Passy.
Paris compte cinq réservoirs comme celui dit de Passy. Édifié au XIXᵉ siècle par l'ingénieur Belgrand, l'assistant du préfet Haussmann, il permet de stocker une partie de l'eau nécessaire à la ville. Paris est alimenté pour moitié par plus de 90 sources dont certaines coulent à 170 km de la capitale, et pour moitié par les eaux de la Seine et de la Marne. Les réservoirs en stockent une partie (à Montsouris, aux Lilas...). D'autres réservoirs sont situés en amont de Paris. Ils servent à retenir les eaux afin d'éviter que la capitale soit inondée. Rappelons que la crue « centennale » de la Seine est redoutée chaque année. Les experts prévoient que le débordement de la Seine affecterait directement 170 000 habitants de Paris et indirectement l'ensemble des populations de l'Île-de-France en raison de l'arrêt obligatoire des moyens de transport souterrains et de la submersion de certaines gares.

Page 195 / L'hôtel Raphaël.
Le jardin réservé aux clients de l'hôtel Raphaël près de l'Arc de Triomphe n'échappe pas à l'objectif du photographe. Cela souligne combien le toit peut être une cinquième façade, observée par quelques intrus. En vérité, Paris recèle un grand nombre de terrasses paradisiaques que le passant ne fait qu'apercevoir du trottoir. Des jardins secrets, de véritables petites forêts, parfois une piscine. Quelques restaurants sont même nichés ainsi, entre les cheminées. C'est le cas au pied de la butte Montmartre de celui de l'hôtel Terrasse, le bien nommé, du restaurant « les Ombres » du musée des Arts premiers. L'hôtel Raphaël est un haut lieu de la jet-set, une adresse appréciée des chefs d'État en visite officielle et des actrices en promotion. Elles aiment y accorder leurs interviews.

Page 196 / La place des Ternes.
La place des Ternes, à la charnière des VIIIᵉ et XVIIᵉ arrondissements. Derrière ses hauts immeubles haussmanniens se cache le dernier quartier russe de Paris. Dans la rue Daru, se dresse ainsi une belle église à bulbes. Il était fréquent avant guerre, de voir les fidèles la quitter pour se diriger ensemble vers la brasserie « La Lorraine », toujours présente aujourd'hui. L'odeur âcre des demis de bière servis en terrasse se poivrait alors d'un fumet orthodoxe, celui de l'encens qui imprégnait les pardessus.

Page 197 / La porte Maillot.
L'axe majeur traversant Paris de la Bastille à la Défense emprunte, en redescendant de l'Arc de Triomphe, l'avenue de la Grande-Armée. Celle-ci aboutit à la porte Maillot. Le gigantisme de ce rond-point rend son aménagement particulièrement ardu. Le petit espace vert situé au centre est un lieu d'asphyxie tant la pollution de l'air y est dense. La tour de l'hôtel Concorde-Lafayette qui abrite le palais des Congrès n'est pas non plus d'une grande élégance. L'architecte Christian de Portzamparc a tenté, dans les années 1990, de la rendre plus conviviale : succès mitigé. De temps en temps, des élus relancent l'idée d'un marquage de la porte de Paris. On imagine alors divers projets farfelus, immeubles en forme de serre-livres, arc de triomphe « contemporain », puis le soufflé retombe dans le chaos des jours. La porte Maillot est un haut lieu des courants d'air.

Ci-contre / La Rotonde de la Villette.
Le secteur du canal de l'Ourcq, attenant à la Rotonde de la Villette, a subi un bouleversement profond ces dernières années. Autrefois peu attractif, il attire aujourd'hui le public. Des promenades plantées, un ensemble de cinémas, des restaurants ont modifié le quartier. La Rotonde est l'un des vestiges des bureaux d'octroi de la barrière des Fermiers Généraux édifiée peu avant la Révolution afin de prélever des taxes sur les marchandises entrant dans Paris. Sa proximité avec le métro aérien métallique lui confère un grand charme. Le télescopage des styles et des époques agrémente ce quartier très populaire d'une touche monumentale. Le canal de l'Ourcq avec ses écluses se poursuit par le canal Saint-Martin qui lui-même conduit au port de la Bastille et à la Seine.

Page 200 / Le bassin de la Villette.
Le bassin de la Villette, ouvert en 1808, était autrefois dominé par les deux ensembles jumeaux des Magasins généraux, édifiés de part et d'autre du pont mobile. Hélas, un incendie a détruit les bâtiments de gauche. Reconstruits, ils conservent plus ou moins la volumétrie d'origine. Le pont levant est un petit chef-d'œuvre de mécanique et il faut assister au passage d'une péniche pour en savourer sa beauté hors d'âge. Passé la Rotonde de la Villette, le canal Saint-Martin conserve, au fil de ses écluses, l'ambiance surannée de l'entre-deux-guerres. Arletty y lance sa célèbre réplique « Atmosphère, atmosphère, est-ce que j'ai une gueule d'atmosphère ? » dans le film de Marcel Carné *Hôtel du Nord* (1938).

Page 201 / La Villette.
Disséminées dans le grand parc de la Villette, les structures architecturales rouge vif édifiées par Bernard Tschumi. Ce sont ses « folies ». « Un seul bâtiment, dit-il, mais fractionné », bref une architecture façon puzzle. Au-delà de la théorie, peut-être faut-il voir, dans cet exemple d'architecture déconstruite, un hommage aux veaux et bœufs que l'on démembra ici, quand le site accueillait des abattoirs. Quant au rouge, ne vient-il pas saluer le sang de tous ces bestiaux, depuis si longtemps par nous tous dévorés ?

Page 202 / La Géode de la Villette.
Difficile d'échapper à l'attraction visuelle de la Géode. Dessinée par Adrien Fainsilber, cette boule de métal, recouverte de 6 433 triangles d'acier, reflète le ciel, les nuages et les rayons du soleil. Ouverte en 1985, la Géode du parc de la Villette est une sphère de 36 mètres de diamètre. Elle est consacrée à la projection de films scientifiques et sa fréquentation est telle qu'on peut la considérer comme la première salle de cinéma du pays. Son écran hémisphérique de 1 000 m² est le plus grand du monde. La Géode fait partie des « Grands Projets » architecturaux lancés sous la présidence de F. Mitterrand.

Page 203 / Folie, parc de la Villette.
Les folies du parc de la Villette font écho aux constructions qui parsemaient les parcs et les jardins royaux aux XVIIIe et XIXe siècles. Au nombre de 26, elles sont érigées sur une base cubique de 10,80 m de côté. Elles sont en outre disposées en divers points du parc, tous situés à 120 m les uns des autres. Sur cette grille, elles s'autorisent des déhanchements, des tremblements, des facéties formelles. Certaines servent d'observatoires, d'autres de kiosques à musique ou de scènes de théâtre. Leur couleur rouge vient offrir un contrepoint pugnace à la verdeur des arbres et du gazon comme au bleu (ou au gris) du ciel. Bernard Tschumi a réussi là un bel exemple d'unité architecturale fracturée.

Page 204 / La Cité de la musique.
Abattoirs hier, la Cité de la Villette s'étend à présent sur un parc verdoyant où se déploie un ensemble d'activités culturelles. Au premier plan de toutes, la Cité de la musique. Édifiée par l'architecte Christian de Portzamparc, elle se développe sur plusieurs bâtiments aux formes oblongues expressionnistes, qui abritent un conservatoire, des salles de répétition et de concert. Dans quelques années, la Cité devrait s'agrandir encore puisque Jean Nouvel a été chargé d'y construire la grande salle philharmonique qui manque à Paris. Son projet devrait servir aussi à lier le parc actuel et la chaussée des boulevards extérieurs qui, pour l'heure, se situe en surplomb. Au risque d'une cacophonie formelle, ce sont donc deux prestigieux architectes français, l'un et l'autre lauréat du prix Nobel d'architecture, le Pritsker Prize, qui devront accorder leurs violons de bâtisseurs.

Page 205 / La fontaine aux Lions de Nubie.
La vaste fontaine aux Lions de Nubie installée à l'entrée du parc de la Villette a été dessinée et bâtie par Girard, l'ingénieur du canal de l'Ourcq en 1811. À l'origine, elle était disposée place du Château-d'Eau (aujourd'hui place de la République). Elle fut transportée en 1867 à la Villette quand le marché aux bestiaux y fut lui-même déplacé. Une dizaine d'abattoirs furent alors regroupés en un seul site. À l'époque, cette vasque servait d'abreuvoir aux animaux. Elle sert aujourd'hui de point de rencontre et plus encore de piscine improvisée dans les périodes de forte canicule.

Page 208 / Parc de la Villette.
On a longtemps râlé, à Paris, contre l'interdiction faite aux promeneurs d'aller batifoler dans l'herbe. On comparait la rigidité de nos gardiens de squares et autres chaisières du parc du Luxembourg à la placidité désinvolte des surveillants des *greens* londoniens. Il faut dire que notre herbe n'était pas de la même qualité que la britannique. Elle ne bénéficiait pas en sus de l'humidité ambiante de l'Angleterre, seule capable de donner au gazon une robustesse digne des plus belles campagnes. Heureusement, depuis quelques années on a planté à Paris des espèces végétales qui supportent allègrement les semelles des bipèdes. Ainsi, à la Villette, il est maintenant possible d'aller s'étendre dans la verdure, à l'ombre du cadran solaire dessiné par Bernard Gitton. L'herbe y est accueillante et les gardiens aussi.

Page 209 / La Cité de l'histoire de l'immigration.
Paradoxe, la Cité nationale de l'histoire de l'immigration s'est installée dans les locaux de l'ancien MAAO, musée des Arts d'Afrique et d'Océanie que les Parisiens avaient pris l'habitude d'appeler de son nom d'origine : musée des Colonies. Revanche de l'histoire, la Cité vise à rendre hommage à l'apport des différentes vagues d'immigration à la culture française. Le parcours est à la fois pédagogique et ludique. Au-delà, le bâtiment lui-même, signé par l'architecte Albert Laprade en 1931, est un chef-d'œuvre. À l'édifice s'ajoutent des fresques dont celle de 600 m² peinte par Pierre-Henri Ducos de La Halle et deux salons installés de part et d'autre de l'entrée. Le premier d'inspiration africaine est meublé de pièces signées Jacques-Émile Ruhlmann, le second de facture asiatique est d'Eugène Printz. Dernière singularité de ce bâtiment, il abrite dans ses sous-sols un aquarium tropical avec crocodiles en majesté. Magique.

Page 210 / La Cité internationale universitaire.
Créée en 1920, la Cité internationale universitaire de Paris est un ensemble de pavillons destinés à l'accueil des étudiants étrangers. Divers mécènes, publics et privés, ont financé l'érection des bâtiments successifs. Aujourd'hui, l'ensemble compte 5 600 lits. Visiter la « Cité U » comme on l'appelle familièrement, c'est parcourir le monde, car l'architecture des pavillons tend à respecter les styles nationaux : pavillon du Japon, Maison de l'Inde, Maison de l'Asie du Sud-Est, Maison des étudiants canadiens, Maison du Maroc, Collège d'Espagne... En tout, 40 nationalités s'affichent dans des décors folkloriques. Par sa taille et sa situation en retrait, coincée entre le boulevard extérieur et le périphérique, la Cité U a tout d'un campus à l'anglo-saxonne. Un théâtre y fonctionne et accueille tous les publics.

Page 211 / La Cité internationale universitaire.
Parmi les différents pavillons de la Cité U, deux au moins méritent le détour : le Pavillon suisse édifié par Le Corbusier et l'ancienne Maison de l'Iran, aujourd'hui Fondation Avicenne. Édifié en 1930, le premier reprend tous les éléments de l'architecture corbuséenne, plan libre, pilotis, pureté des lignes, blancheur générale et mise en couleur des fenêtres dans des teintes à la Mondrian : rouge, bleu, jaune. La Maison de l'Iran, construite par l'architecte Claude Parent, est parfaitement visible du périphérique. C'est un bâtiment à structure brutaliste : une charpente en acier noir soutenant des blocs suspendus comme autant de cubes opaques. Édifié en 1969, l'édifice n'a rien perdu de sa force d'expression. Il fut longtemps surmonté d'un gigantesque logo publicitaire pour une marque d'automobile allemande.

Page 212 / Le parc Georges-Brassens.
Le parc Georges-Brassens rend hommage au chanteur français qui vécut une grande partie de sa vie dans le quartier. Jusqu'en 1975, le parc était occupé par un abattoir spécialisé dans l'exécution et le débitage des chevaux. Des sculptures de chevaux et de taureaux sont d'ailleurs conservées à l'entrée du parc. Une tradition parisienne veut que les lieux de mise à mort d'animaux soient transformés en espaces verts, en lieux de repos et de loisirs. C'est aussi le cas à la Villette où les anciens abattoirs ont cédé la place à un grand centre d'animation culturelle. Tous les dimanches, le parc Georges-Brassens accueille un intéressant marché du livre d'occasion.

Page 213 / La STCAN.
Le boulevard Victor dans le sud de la capitale concentre une succession de bâtiments militaires. L'École nationale des techniques avancées dédiée à la formation des ingénieurs et la Section technique des constructions et armes navales créée par Louis-Émile Bertin, le patron du génie maritime. Bertin y installa un bassin d'essais voué à l'étude des carènes en modèles réduits. Clin d'œil, c'est en face que Pierre Patou a édifié, entre 1929 et 1934, un immeuble en lame, baptisé le « Paquebot ». Il constitue l'un des plus beaux exemples d'architecture inspirée par l'esprit maritime.

Ci-contre / Parc de la Villette.
Chaque été, le parc de la Villette accueille un festival de cinéma en plein air. L'occasion pour les Parisiens résidents ou de passage de s'installer dans l'herbe. Soudain, le gazon prend des airs de campus, on sort les chaises, on saucissonne, on s'entend dans les décibels du 7e art. Début des réjouissances à la nuit tombée. Tout espoir de bronzage est hors sujet.

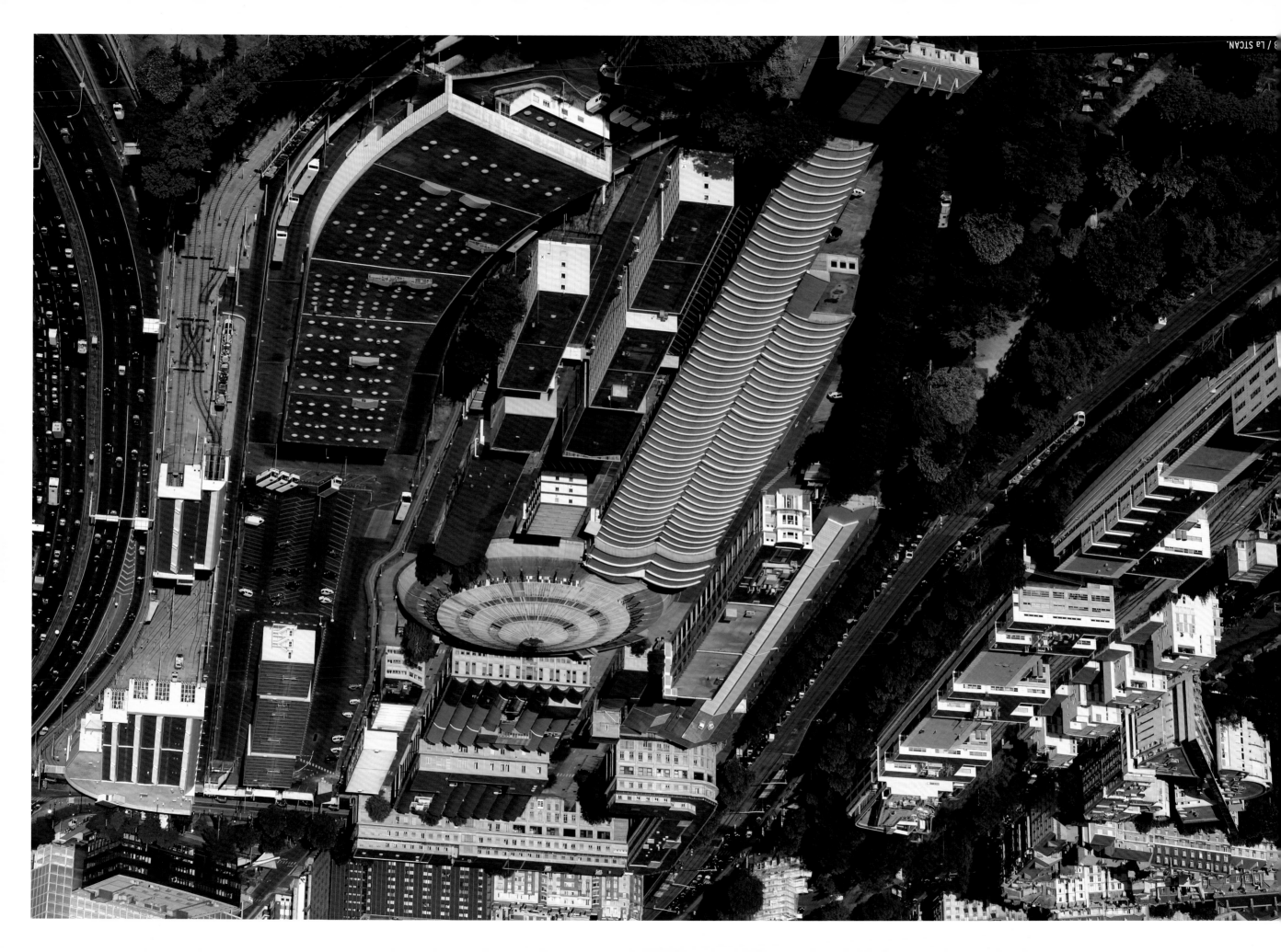

Page 216 / L'île Seguin.

La formule était célèbre : « Quand Renault tousse, la France s'enrhume. » L'île Seguin, c'était d'abord cela, la forteresse ouvrière édifiée en 1934 et agrandie ensuite, le krak des prolétaires, l'usine dans toute sa splendeur perdue : chaînes de montage, cacophonie des presses, capharnaüm des scories, sirènes d'atelier et bars surnommés « l'annexe ». De là, naquirent les modèles d'automobiles populaires que furent la 4 CV (1947) et la SuperCinq. Le mastodonte connut ses heures de gloire lors des grandes grèves de 1936 et de mai 1968. Puis tout s'est arrêté. Les spécialistes de l'architecture, les mordus du patrimoine, les historiens de l'industrie se sont empoignés sur l'avenir de cette langue de terre aux fausses allures d'île de la Cité. Fallait-il y édifier, sur les ruines d'hier, un musée de l'automobile, voire toute une île de musées ? Tour à tour, les plans d'aménagement retenus ont été remisés dans les cartons. L'avenir de l'île Seguin demeure convulsif. Chacun reste marqué par la pantalonnade du projet de musée d'Art contemporain de François Pinault. Après concours, le richissime homme d'affaires avait opté pour le projet de l'architecte star japonais Tadao Ando, mais des atermoiements administratifs, des bâtons mis dans les roues des uns et des autres, des réticences diverses ont eu raison de sa détermination. Le musée Pinault s'est réfugié dans un palais vénitien. L'île a connu ensuite l'épisode burlesque de sa fausse façade-enveloppe, une sorte de décor tiré au long de ses rives ! Demain devrait voir surgir des logements, des espaces verts, un pont supplémentaire, un pôle universitaire. Peut-être. L'île, pour l'heure, cache encore tous ses trésors.

Page 217 / La porte de Saint-Cloud.

Plus qu'une porte de Paris, la porte de Saint-Cloud est l'antichambre du Parc des Princes, le plus grand stade de la capitale. Il est lui-même flanqué par le stade Jean-Bouin qui sera bientôt remis à neuf par l'architecte Rudy Ricciotti. Les soirs de match, le secteur est envahi de supporters et de forces de police. Quand le Paris-Saint-Germain rencontre l'Olympique de Marseille, le secteur prend parfois des allures de champ de bataille. La brasserie « Aux trois obus », située sur la place, fut baptisée ainsi après la découverte en 1932, lors de travaux, de trois têtes d'obus non explosées envoyées là par les Prussiens en 1870. Depuis, la brasserie est un haut lieu du débat footballistique et balistique. Au centre de la place, trônent deux colonnes Art déco datant des années 1930.

Page 218 / La *Tour aux Figures*.

Dans un repli de la Seine, en aval de Paris, l'île Saint-Germain abrite un parc verdoyant. La *Tour aux Figures*, haute sculpture de 24 m, en est le clou. Érigée en 1988, cette œuvre est signée par Jean Dubuffet, l'un des plus importants acteurs du mouvement dit « art brut » dont il fut le théoricien. Il déposa même le brevet de l'expression. Les couleurs primaires rouge, bleu, noir et blanc, le cabossage, les pans coupés à la serpe, l'empilement des visages grimaçants, visibles ici, marquent son écriture. Dubuffet fut un artiste prolifique, fasciné par les enfants, les malades mentaux. Il réalisa des milliers de dessins, tableaux et sculptures dont certaines sont devenues des œuvres urbaines célébrées au cœur des villes, comme dans le bas New York. Il fut très proche d'André Breton, le père du surréalisme.

Page 219 / Bois de Boulogne.

Situé à la limite de la capitale et de la ville de Neuilly-sur-Seine, le bois de Boulogne à l'ouest (comme le bois de Vincennes à l'est) fait partie du territoire de Paris. Poumon vert, il accueille dans ses futaies un certain nombre d'établissements renommés comme le sélect Racing Club. On y trouve aussi le jardin d'Acclimatation, petit parc de loisirs destiné à la distraction des enfants. Un petit train y circule. Depuis quelque temps, des travaux le secouent en tout sens. La future Fondation Louis Vuitton pour la Création devrait y ouvrir ses portes dans quelques années. Le projet ultra contemporain, un nuage, une serre soufflée de voiles de verre, a été confié à la « starchitecte » de Los Angeles Frank Gehry, l'auteur du musée Guggenheim de Bilbao.

Page 220 / Lac inférieur, bois de Boulogne.

Club omnisports créé en 1882, le Racing Club de France aux couleurs bleu ciel et blanc, est assurément l'un des clubs sportifs les plus huppés du pays. Installé dans le bois de Boulogne au lieu-dit du Parc-aux-Biches, il en a perdu la concession en 2005, la Ville de Paris souhaitant renégocier ses accords de partenariat. Coup dur pour une institution qui a accumulé les titres et les trophées. On voit ici une partie du lac dit inférieur. Le bois de Boulogne en compte deux, créés artificiellement. Une erreur commise au XIXe siècle dans le calcul des dénivelés a imposé une séparation entre les plans d'eau. Ils sont reliés par une cascade.

Page 221 / Barques, bois de Boulogne.

Le canotage est avec le french cancan, le pull marin à rayures et le canotier un symbole du Paris de la Belle Époque. Les peintres impressionnistes, comme Caillebotte ou Manet, ont su capturer l'insouciance et la volupté de ces moments volés à l'agitation urbaine. Au XIXe siècle, quand on s'entichait des robinsonnades, des virées « nature », un antagonisme de plus en plus virulent s'imposa entre « canoteurs du dimanche » et spécialistes de l'aviron sérieux. Au plaisir populaire s'opposait un sport d'élite débarqué d'Angleterre. Il est possible aujourd'hui de louer une barque près des guinguettes de Joinville-le-Pont, au bois de Vincennes ou bien encore comme ici, au bois de Boulogne pour s'en aller dériver au fil de l'eau et s'imaginer un instant personnage d'une toile de Renoir.

Ci-contre / Le Parc des expositions et le palais des Sports.

En dépit de sa vastitude, ce territoire situé au sud de la capitale est l'objet d'incommensurables bousculades. C'est qu'en sus des embouteillages dus aux voitures, les humains s'y agglutinent en masses compactes. À cela, deux raisons : le Parc des expositions et le palais des Sports. Le Parc accueille tout au long de l'année foires et manifestations diverses, salons du Livre, de l'Agriculture, du Cheval... Quant au palais des Sports, il héberge tournées musicales, pièces de théâtre, spectacles... Desservie depuis peu par le tramway, la porte de Versailles devrait accueillir, si une relance économique le permet, le premier gratte-ciel de la périphérie parisienne. Dessinée par le tandem star Herzog et de Meuron, cette lame de verre brillerait alors comme un fanal sur l'entrée de Paris.

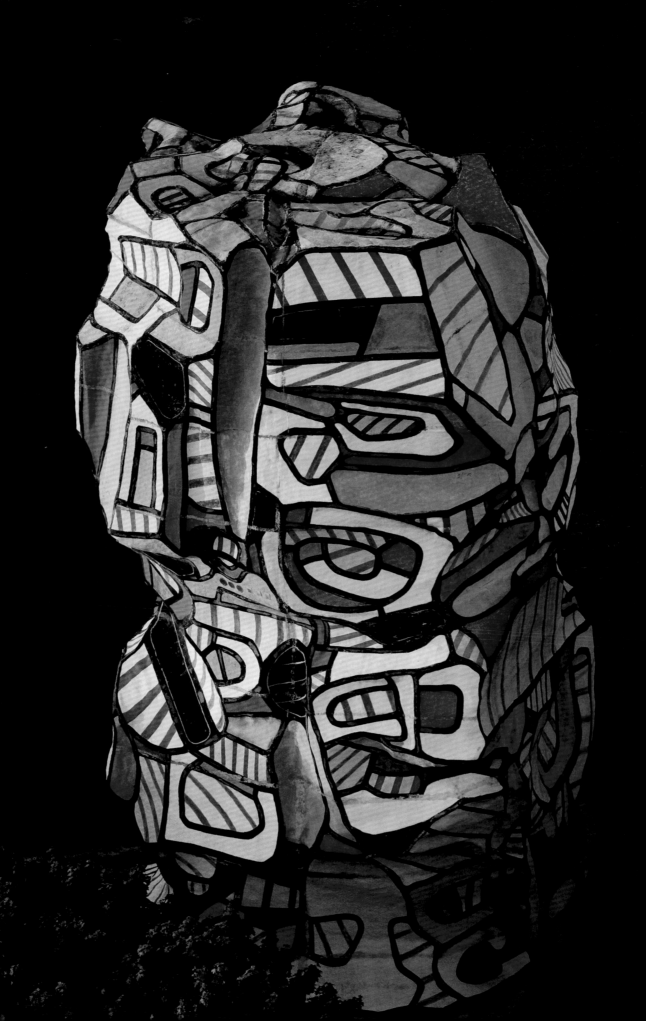

220 / Lac inférieur, bois de Boulogne

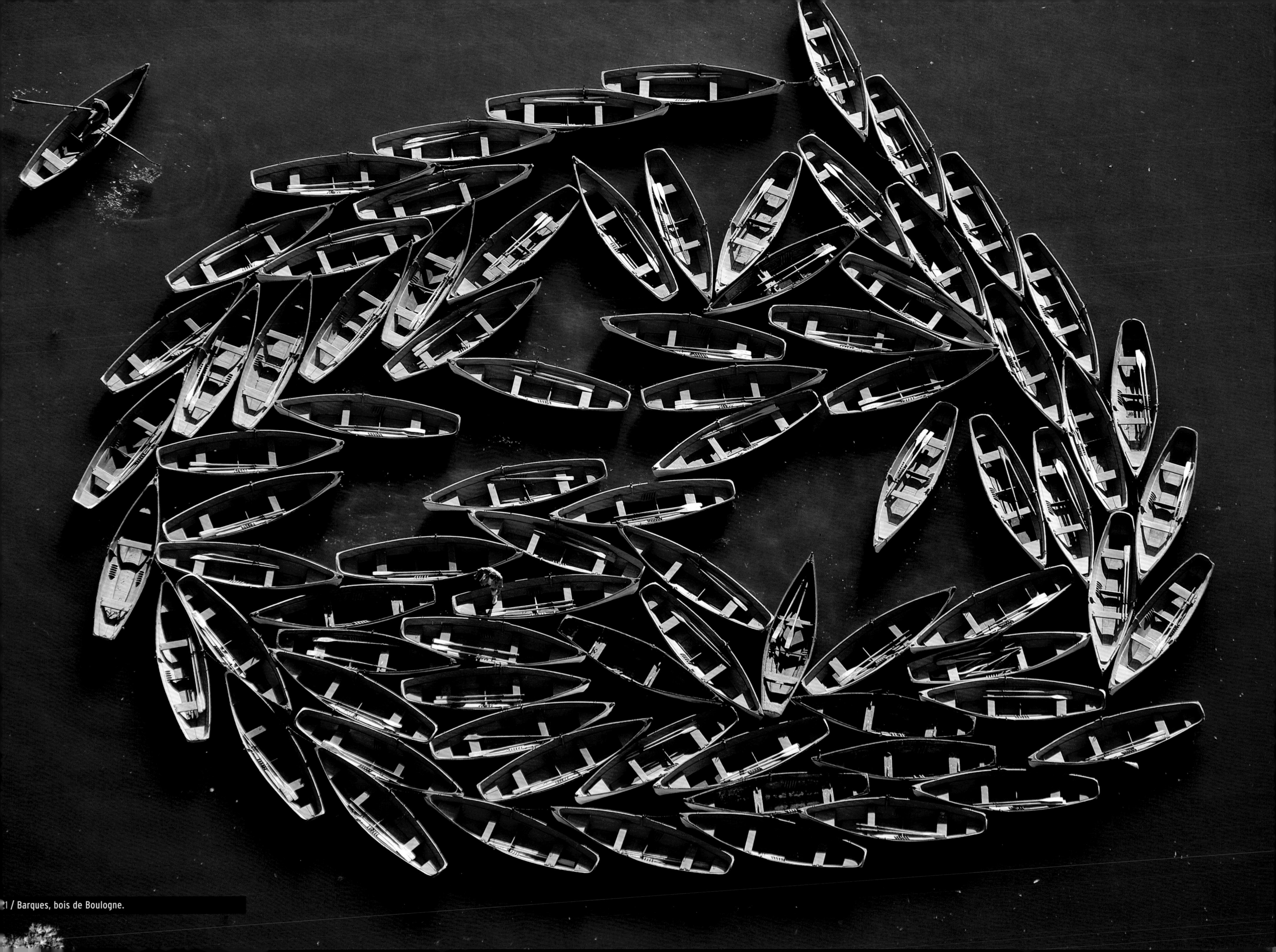

1 / Barques, bois de Boulogne.

Page 224 / La Grande Arche, la Défense.

Bien que contestée par beaucoup qui s'indignaient de voir des tours s'élever à l'arrière-plan de l'arc de triomphe de l'Étoile, la Grande Arche fait écho à ce dernier monument. Elle en est en quelque sorte le double, l'écho. Le bâtiment est un cube percé. Il pourrait reposer sur chacune de ses faces comme un dé. Ce détail du toit montre combien le carré est utilisé dans toutes les parties de l'édifice. Trop carrée peut-être, notre Arche ne tourne pas rond. Depuis son inauguration, elle n'a jamais trouvé d'utilité véritable.

Page 225 / La Défense.

Dès 1958 et le retour du général de Gaulle à la tête de l'État, le projet du quartier de la Défense est lancé. Il s'agit de rééquilibrer Paris à l'ouest, en y développant un secteur d'affaires et de bureaux dans le style de Manhattan. Le site est à l'époque occupé par de nombreux bidonvilles. Le CNIT (Centre national des industries et technqiues), vaste voile de béton, est inauguré. Tout autour, vont s'élever, au fil des décennies, quantité de gratte-ciel. Une première génération d'immeubles aux proportions identiques, une base de 42 m sur 24 m, cède la place à des bâtiments moins voraces en énergie, plus étroits, plus hauts. Une dalle est édifiée, un quartier commercial (les 4-Temps), des parkings. L'architecte Jean Nouvel propose alors d'y bâtir une « tour sans fin » dont le sommet disparaîtrait dans les nuages. Jamais construite, elle apparaît pourtant dans le film de Wim Wenders *Jusqu'au bout du monde*. De nouveaux projets de tours de grande hauteur sont prévus : la tour Signal de Jean Nouvel et la tour Phare de Tom Mayne. Elles devraient voir le jour, si la crise économique mondiale le permet.

Page 226 / La Défense.

Les aménageurs de dalles se démènent pour offrir au piéton un paysage qui ne l'accable pas d'ennui. Tout est bon : fontaines, sculptures, plantations et dallages dynamiques. En cela, ils s'apparentent aux ingénieurs et aux artistes qui bousculent la monotonie des bordures d'autoroutes en y plaçant mille et une surprises visuelles. Parcourir une dalle, c'est devenir le héros anonyme d'un long travelling. Pour que le film soit bon, il faut que le décor participe à l'action. C'est tout l'objet du déhanchement de ces zigzags.

Page 227 / Fontaine, la Défense.

La fontaine réalisée au centre du parvis de la Défense est de l'artiste israélien Yaacov Agam. Longue de 72 m, elle se compose d'un vaste bassin tapissé d'une mosaïque dont les émaux ont été fabriqués à Venise. Son jet d'eau de 15 m de hauteur, couplé aux huit couleurs utilisées, crée le dynamisme constitutif de cet art qualifié de cinétique. Réalisée entre 1975 et 1977, cette composition se trouve animée non pas par des éléments mécaniques internes à l'œuvre mais plutôt par le déplacement des spectateurs. Les teintes simples, bleu, rouge, jaune et noir, rappellent qu'Adam fréquenta le peintre Fernand Léger. Il est l'auteur de nombreuses sculptures monumentales dont celle de la place Dizengoff à Tel-Aviv. Il mit également en couleur les antichambres des appartements privés du palais de l'Élysée à la demande de Georges Pompidou.

Page 228 / *L'Araignée rouge*, la Défense.

La dalle de la Défense est un musée de la sculpture en plein air. Outre l'*Araignée rouge*, grand stabile de Calder daté de 1976 pesant 65 tonnes, on peut y trouver encore des œuvres de César (un pouce géant), deux personnages fantastiques de Joan Miró, un conduit de cheminée transformé en œuvre cinétique par Raymond Moretti (1990), un groupe de Leonardo Delfino (1983)... Le stabile de Calder est une version, parmi d'autres, de son œuvre. On la retrouve de par le monde, à New York et à Montréal notamment.

Page 229 / La Grande Arche.

De nombreux concours ont été organisés pour clore l'axe historique qui conduit de la place de la Concorde à la Défense en passant par l'Arc de Triomphe. Finalement, c'est le projet d'un obscur architecte, le Danois Johann Otto von Spreckelsen, qui remporta les suffrages. Ce dernier n'avait édifié en tout et pour tout, dans son pays, qu'une très belle église. Il s'attela à la tâche mais il disparut trop tôt pour voir son grand œuvre achevé. L'Arche de la Défense ou Grande Arche fut inaugurée en 1989 pour le bicentenaire de la Révolution française. Ici, l'on peut voir « le nuage », une résille suspendue au cœur de l'ouvrage.

Ci-contre / Esplanade Charles-de-Gaulle, Nanterre.

Soucieux de ne pas poursuivre vers l'est le demi-échec de la dalle de la Défense, les urbanistes tentent de créer au long de l'esplanade Charles-de-Gaulle, à Nanterre Préfecture, une allée verte. Une succession de terrasses paysagères, 17 au total, devrait épouser le dénivelé du terrain. Diverses essences d'arbres sont plantées : aulnes, chênes verts, sophoras, platanes... Des murs de béton sont censés venir encadrer ces promenades modernisées. Le pari est difficile, les territoires sans passé sont rétifs à la douceur. Il leur manque la patine du temps, le génie des architectes a pour mission d'y pallier.

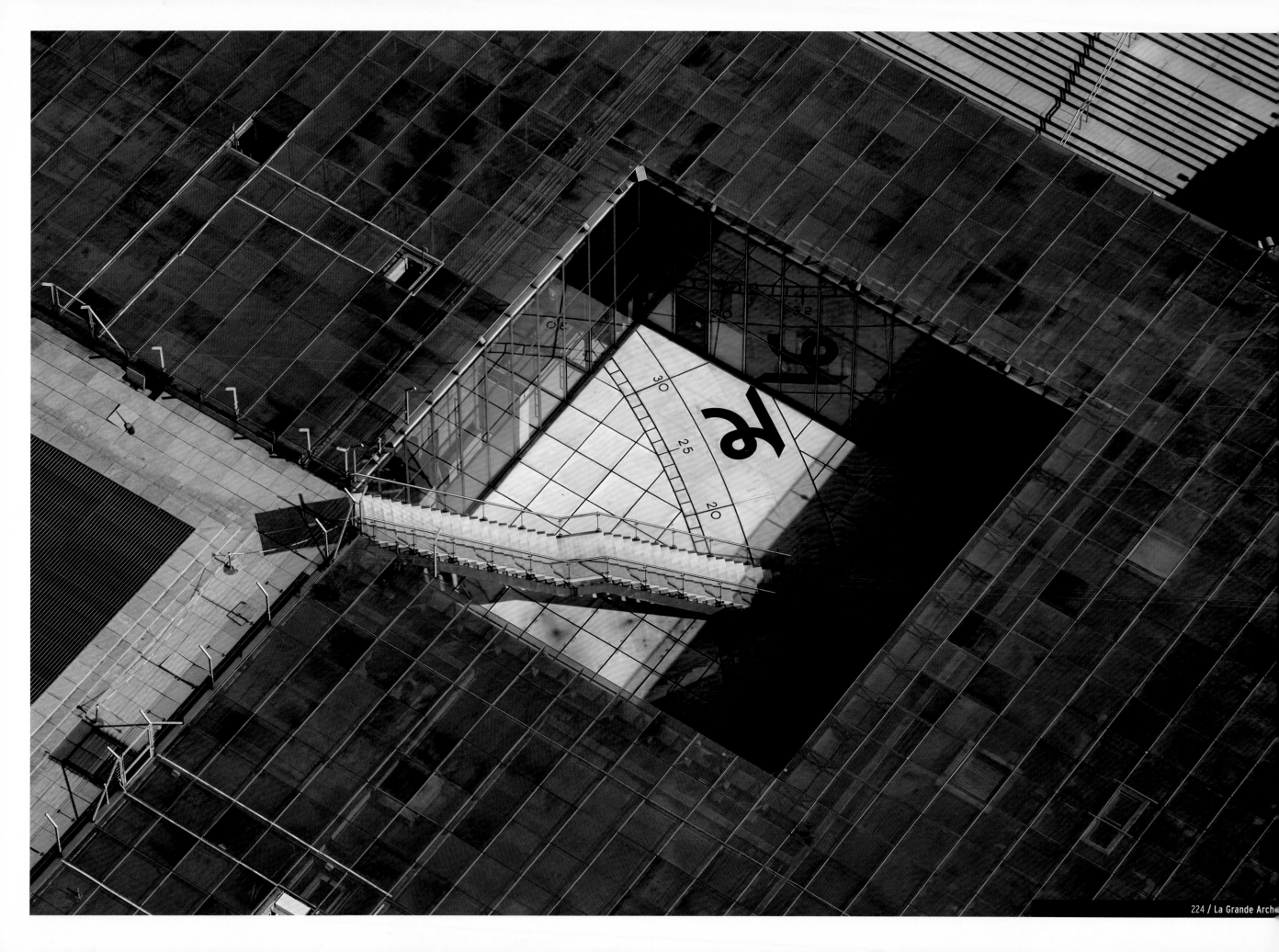

25 / La Défense.

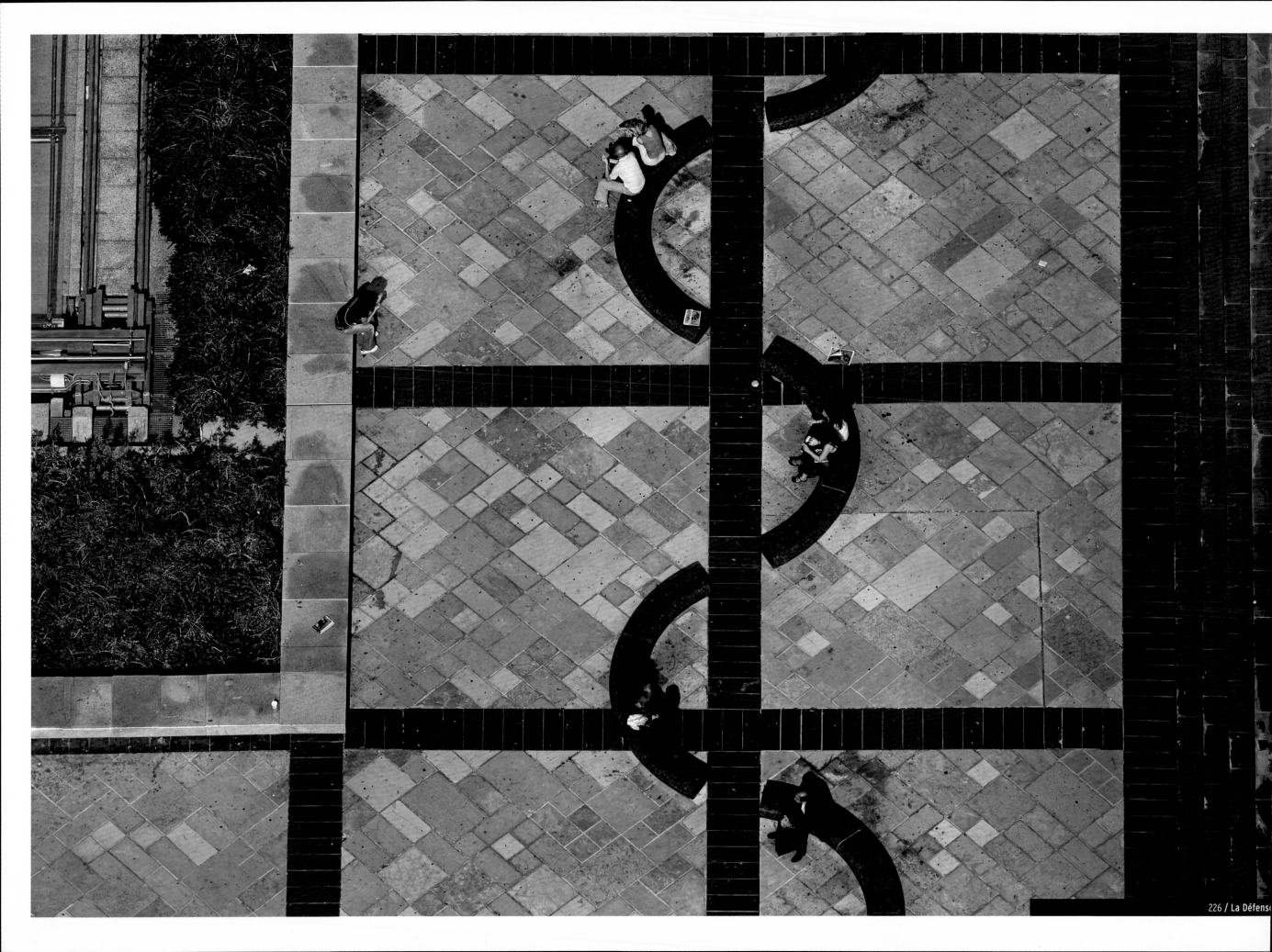

Index

Ci-contre / La Défense.
Les ressources du piéton de Paris, vanté autefois par l'écrivain Léon-Paul Fargue, sont sans limites. Ainsi, la moindre parcelle de gazon plantée sur une dalle de béton offre au dilettante, au promeneur, au touriste un havre de paix, un baldaquin d'herbe rase. Ici, cet habitué de la Défense s'abandonne aux caresses du soleil, le corps lâché dans l'axe de cette sculpture écologique. Allongé, il a comme un faux air de coureur de marathon, effondré sur une cendrée muée en lit de verdure.

Pages de garde
Conçue par le paysagiste Allain Provost, la cascade du parc Diderot, à Courbevoie. / Photographie de Paris, © IGN.

Remerciements

Dans un grand nombre de pays, obtenir les autorisations de survoler une ville est souvent très compliqué.

Paris est sans doute l'une des villes au monde où la réglementation de survol est extrêmement stricte et où les autorisations sont très limitées dans l'espace comme dans le temps.

Nombreuses sont les équipes responsables de la bonne exécution de ces autorisations tout à fait exceptionnelles, et, pour effectuer la série de vols qui a permis de réaliser ce livre, beaucoup de personnes ont donné de leur temps et ont accepté non seulement les contraintes d'une météo capricieuse mais également un emploi du temps particulièrement chaotique, aboutissant parfois à l'annulation de certains vols peu de temps avant le décollage et... au report des missions.

Yann Arthus-Bertrand tient donc à remercier particulièrement tous ceux qu'il a maintes fois sollicités pour mener à bien ce travail et pour les libertés accordées.

En premier lieu, M. le ministre de l'Intérieur, Nicolas Sarkozy, devenu depuis président de la République française, ainsi que son chef de cabinet Laurent Solly pour le soutien et la conviction irréfragable dispensés auprès des autorités compétentes.

Nombreux aussi ont été ceux qui ont fait preuve d'une bienveillante tolérance. Nous ne pouvons pas tous les citer ici mais qu'ils soient tous chaleureusement remerciés :
Pierre Mutz, préfet de police de Paris
Paul-Henri Trollé, directeur du cabinet du préfet de police de Paris
Henri d'Abzac, directeur adjoint du cabinet du préfet de police de Paris
Christian Lambert, directeur de cabinet de Michel Gaudin préfet de police de Paris
Raymonde Colin, conseiller technique du préfet de police de Paris
Roselyne Ivanov et Stéphane Triquet des services administratifs du cabinet du préfet de police de Paris
Alain Buloz, chef de subdivision aérodromes et exploitants aériens DGAC
Fabrice Merlin, Unité air, département des services spécialisés et des écoles de la DOSTL
Françoise Hardy, commissaire divisionnaire, adjointe au sous-directeur de l'ordre public de la DOPC.

Pierre Rouzaud, Bureau de contrôle de sécurité de défense du CEA.
Une pensée amicale pour tous les pilotes d'hélicoptère qui ont largement contribué à la recherche de « la bonne lumière et du bon angle ». Merci à tous de leur talent.
Pour THS : Jean-Christophe Beauvilliers, Juliette Bouchez et Xavier Philippe,
Équipe au sol : Émilie Chatelet, Rebecca Moreau et Dominique Moreau.
Pour Hélifrance groupe IXAIR : Pascal Graff et Alexandre Milleret
Équipe au sol : Christophe Baudet, Xavier Decroux, Alex Delorme, Fabienne Dherbilly, sans oublier Charles Aguettant et Didier Gaudon.
Pour Skycam hélicoptères : Franck Arrestier
Équipe au sol : Amaïa Laplume et Maïté Laplume.

Un très grand merci également à toute l'équipe des Éditions du Chêne pour la formidable patience et l'amicale indulgence accordées tout au long de la mise en œuvre de cet ouvrage :
Fabienne Kriegel, Blandine Houdart, Valérie Tognali, Sabine Houplain.

Sans oublier bien sûr les assistants de vol : Françoise Jacquot (également responsable des sélections images et du contrôle qualité), Isabelle Lechenet, Aurélie Miquel et Erwan Sourget (pour ses prouesses de créateur d'ambiance).

Et aussi Bruno Morini de la société Amiimages ainsi que Luigi Conti d'Articrom pour leur amitié et leur incommensurable endurance face aux changements incessants de choix d'images et de mise en page.

Et bien sûr Philippe Trétiack pour s'être passionné pour ce Paris particulier qui, vu du ciel, semble appartenir à chacun de nous.

Et encore et toujours Françoise Le Roc'h.

La plus grande partie des prises de vue de ce livre a été réalisée entre juillet 2007 et juillet 2008, en numérique avec un boîtier Canon EOS-1 Ds Mark II équipé de focales allant du 24 mm au 500 mm. Quelques-unes ont été réalisées avec un Pentax 645N.
Les photographies de Yann Arthus-Bertrand sont distribuées par l'agence Altitude :
www.altitude-photo.com - www.yannarthusbertrand.org

Crédits
p. 6 : *Taureau et Daim*, P. Jouve © Adagp, Paris 2009 ; pp. 24, 26 : *Pyramide* du Louvre, I. M. Pei ; p. 29 : *Clara-Clara*, R. Serra © Adagp, Paris 2009 ; p. 35 : *Photo-souvenir, les Deux Plateaux*, D. Buren © Adagp, Paris 2009 ; p. 37 : *Fontaine au Palais-Royal*, P. Bury © Adagp, Paris 2009 ; p. 39 : *Écoute*, H. de Miller © Adagp, Paris 2009 ; p. 40 : *Forum des Halles*, architectes C. Vasconi et G. Pencreac'h ; pp. 45, 46, 47 : *Centre Georges-Pompidou*, architectes R. Piano et R. Rogers ; p. 87 : *Parvis Bellechasse*, G. de Rougemont © Adagp, Paris 2009 ; p. 116 : *Ministère des Finances*, architectes P. Chemetov et B. Huidobro © Adagp, Paris 2009 ; p. 117 : *POPB*, architectes M. Andrault et P. Parat ; p. 118 : *Parc de Bercy*, architecte B. Huet ; p. 119 : *Canyoneaustrate*, G. Singer © Adagp, Paris 2009 ; p. 121 : *Cadran solaire*, R. et J.-L. Doucet © Adagp, Paris 2009 ; p. 124 : © *Bibliothèque nationale de France*, architecte D. Perrault/Adagp, Paris 2009 ; p. 125 : *Les Grands Moulins de Paris*, architecte R. Ricciotti ; p. 138 : *Immeuble, place de Catalogne*, architecte R. Bofill ; p. 140 : *Unesco*, architectes M. Breuer, P. L. Nervi et B. Zehrfuss ; p. 144 : © *Musée du Quai-Branly*, J. Nouvel architecte/Adagp, Paris 2009 ; p. 145 : *Façade végétale* du musée du Quai-Branly, paysagiste P. Blanc © Adagp, Paris 2009 ; p. 183 : *Les Olympiades*, architectes P. Gangnet ; p. 185 : *Paon et pavage Paris-15*, architecte X. Arsène-Henry ; p. 187 : *Parc André-Citroën*, architectes P. Berger, J.-F. Jodry et J.-P. Viguier, paysagistes A. Provost et G. Clément ; 190 : *Hôpital Georges-Pompidou*, architecte A. Zublena © Adagp, Paris 2009 ; p. 202 : *Géode*, architecte A. Fainsilber © Adagp, Paris 2009 ; pp. 201, 203 : *Folies*, architecte B. Tschumi ; p. 204 : *Cité de la musique*, architecte C. de Portzamparc © Adagp, Paris 2009 ; p. 208 : *Cadran solaire*, B. Gitton ; p. 218 : *Tour aux figures*, J. Dubuffet © Adagp, Paris 2009 ; pp. 224, 229 : *la Grande Arche*, architecte O. von Spreckelsen ; p. 227 : *Fontaine à la Défense*, Y. Agam © Adagp, Paris 2009 ; p. 228 : *Araignée rouge*, A. Calder © Adagp, Paris 2009 ; pages de garde : *Cascade parc Diderot*, A. Provost ; vue générale de Paris © IGN.

Malgré tous les efforts déployés pour garantir le respect du droit des auteurs, certaines œuvres n'ont pu être identifiées. L'éditeur engage leur auteur à le contacter directement.

Édition : Valérie Tognali et Blandine Houdart
Direction artistique : Sabine Houplain
Réalisation : Bruno Morini/Amiimages
Fabrication : Rémy Chauvière et Colombe Lecoufle

Photogravure : Articrom
Achevé d'imprimer en Chine
Dépôt légal : octobre 2009
ISBN : 978 2 284277830 9
34/1992/6 - 01

FSC
Sources mixtes
Groupe de produits issus de forêts bien gérées, de sources contrôlées et de bois ou fibres recyclés
www.fsc.org
Cert no. SGS-COC-004105
© 1996 Forest Stewardship Council

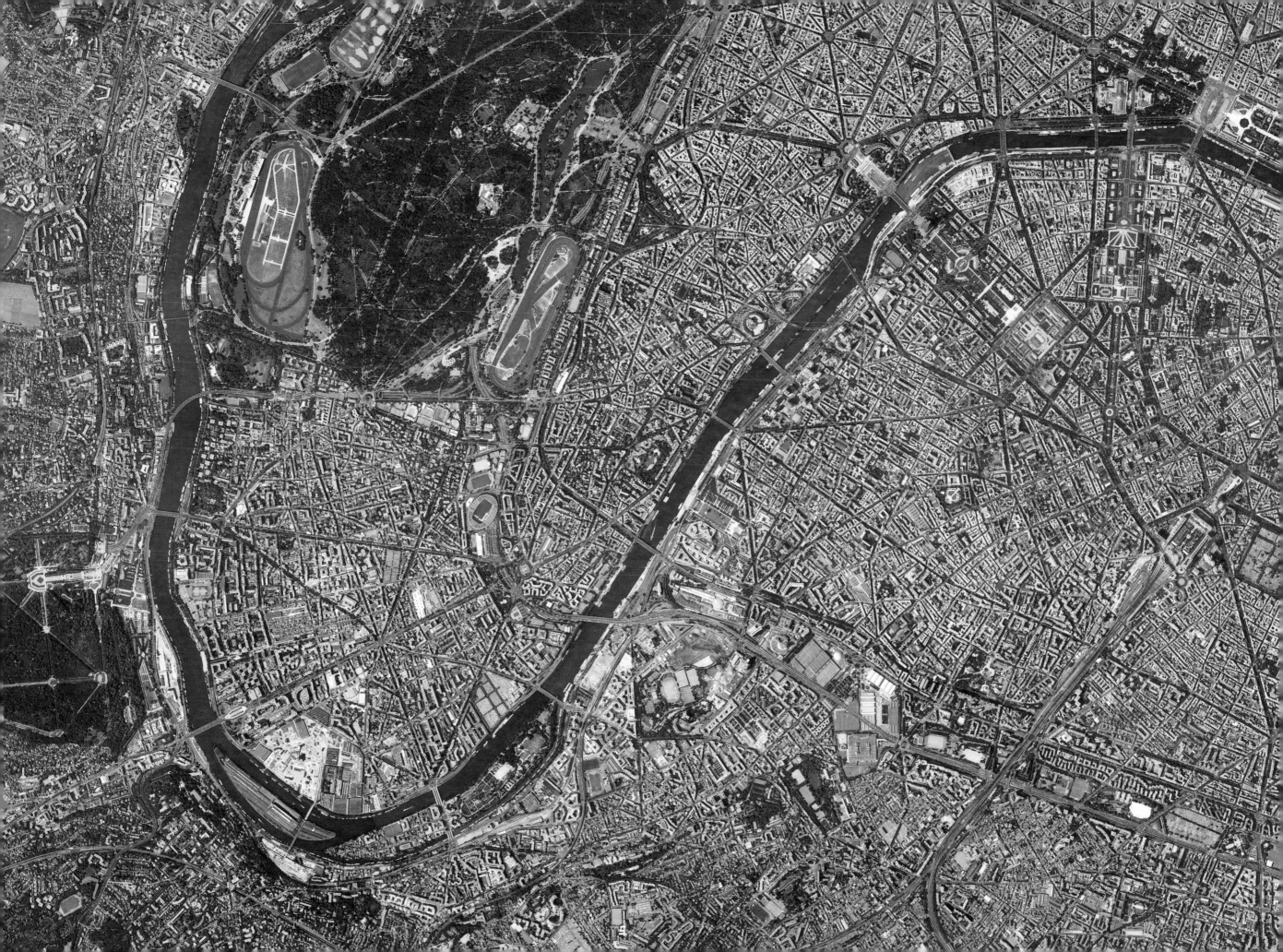